Pétain
et le régime de Vichy

HENRI MICHEL

Quatrième édition corrigée

28e mille

DU MÊME AUTEUR

Les idées politiques et sociales de la Résistance française (en collaboration avec B. MIRKINE-GUETZÉVITCH), Presses Universitaires de France, 1954.

Tragédie de la Déportation (en collaboration avec Olga WORMSER), Hachette, 3ᵉ éd., 1954.

Histoire de la Résistance en France, Presses Universitaires de France, coll. « Que sais-je ? », 7ᵉ éd., 1972.

Histoire de la France libre, Presses Universitaires de France, coll. « Que sais-je ? », 3ᵉ éd., 1972.

Les courants de pensée de la Résistance, Presses Universitaires de France, 1962.

Bibliographie critique de la Résistance, SEVPEN, 1964.

Jean Moulin l'unificateur, Hachette, 3ᵉ éd., 1983.

Vichy, année 40, Robert Laffont, 1966.

La seconde guerre mondiale, t. I : *Les succès de l'Axe* ; t. II : *La victoire des Alliés*, Presses Universitaires de France, coll. « Peuples et Civilisations », 1968, 1969, 2ᵉ éd., 1976, 1980.

La guerre de l'ombre, Grasset, 1970.

La drôle de guerre, Hachette, 1972.

La seconde guerre mondiale, Presses Universitaires de France, coll. « Que sais-je ? », 2ᵉ éd., 1976.

Pétain, Laval, Darlan, trois politiques ?, Flammarion, 1972.

Les mouvements clandestins en Europe, Presses Universitaires de France, 3ᵉ éd., 1974.

Les fascismes, Presses Universitaires de France, 3ᵉ éd., 1982.

Le procès de Riom, Albin Michel, 1979.

La défaite de la France (sept. 39-juin 40), Presses Universitaires de France, 2ᵉ éd., 1982.

La deuxième guerre mondiale commence, Ed. Complexe, 1980.

La Libération de Paris, Ed. Complexe, 1980.

Paris allemand, Albin Michel, 1981.

Paris résistant, Albin Michel, 1982.

Et Varsovie fut détruite, Albin Michel, 1984.

ISBN 2 13 039742 5

Dépôt légal — 1ʳᵉ édition : 1978
4ᵉ édition corrigée : 1993, novembre
© Presses Universitaires de France, 1978
108, boulevard Saint-Germain, 75006 Paris

INTRODUCTION

Le régime de Vichy est né de la défaite totale en mai-juin 1940, en un mois, d'une armée qu'on croyait invincible, parce qu'elle avait gagné la guerre 1914-1918. Ses quatre années ont été marquées par l'occupation ennemie, le pillage du pays, les bombardements, l'économie de pénurie, le sursaut de la Résistance, les fusillades et les déportations, les ruines, les joies et les règlements de comptes de la Libération. Période dramatique s'il en fut. Dans le tourbillon où ils étaient plongés, alors que la vie quotidienne leur posait d'insolubles problèmes, et qu'un avenir inquiétant engendrait une angoisse générale, la voie à suivre n'apparaissait pas clairement aux Français ; si deux minorités se sont vite affirmées, une pour « résister » à l'occupant à l'appel du général de Gaulle, l'autre pour se réjouir de sa victoire et « collaborer » avec lui, la masse de la population est restée longtemps comme pétrifiée, amorphe, attentiste. Elle faisait confiance au régime né de la déroute, grâce auquel, pensait-elle, la France survivait et, surtout, à son chef prestigieux, le maréchal Pétain, en qui elle voyait un protecteur, un Père retrouvé.

Aujourd'hui, au sujet de Vichy, les Français se divisent selon leur âge. Ceux qui ont vécu la période sont encore sensibilisés par leurs épreuves. Les uns reprochent à Vichy sa faiblesse à l'égard du vainqueur, sa volonté de collaborer avec lui, son hostilité aux Anglais et à la Résistance ; les autres font valoir les difficultés du moment, la rigueur de l'occupant, la volonté d'éviter le pire aux Français. Mais la masse grandissante de ceux qui n'ont pas vécu la période ne partage plus ces passions ; quand elle n'estime pas que ces événements révolus sont pour elle dénués d'intérêt, elle veut savoir ce qui s'est réellement passé.

Or, petit à petit, la grande ombre qui obscurcissait cette période s'efface. Les documents allemands permettent de comprendre le comportement des Allemands ; les documents américains sont riches des confidences des dirigeants de l'Etat français aux diplomates des Etats-Unis en poste à Vichy. L'ensemble des documents français est encore un peu moins éclairant, parce que de nombreuses destructions ont été effectuées ; mais tous, à peu près, sont aujourd'hui accessibles. Cependant, nombreuses sont aujourd'hui les études qui permettent de percer les ténèbres de ce passé, à la fois si proche et si lointain. Ce petit livre n'a pas d'autre ambition que de faire le point.

Des réponses peuvent ainsi être données à des questions comme : qu'espérait le gouvernement de Bordeaux de l'armistice ? Pourquoi le maréchal Pétain a-t-il proposé à Hitler de « collaborer » ? Que faut-il entendre par ce mot, « collaboration » ? La « Révolution nationale » était-elle la « réaction triomphante » ou un « fascisme à la française » ? Le régime de Vichy a-t-il préservé des vies françaises ? Qui a poursuivi les Juifs ? Qu'attendait Hitler de Vichy ? Que furent les sanctions prises à la Libération ?, etc. Ces réponses, nous l'espérons du moins, poseront quelques jalons sur le chemin de la sérénité.

Chapitre Premier

LA NAISSANCE DU RÉGIME

I. — L'armistice

Au procès du maréchal Pétain, l'accusation avait retenu, comme chef d'inculpation, un complot pour prendre le pouvoir ; elle l'abandonna au cours des débats. Certes, une campagne avait été orchestrée dans certains milieux, avant la guerre, pour préconiser une promotion de Pétain à la tête du gouvernement ou de la République ; mais le maréchal ne l'avait pas inspirée et il ne s'en était pas servi ; il n'avait pas demandé à être nommé ambassadeur à Madrid ; il n'avait pas manœuvré pour entrer dans le cabinet de Paul Reynaud. S'il avait aspiré au pouvoir, il n'avait pas conspiré (1). Mais, une fois au gouvernement, il n'avait pas caché que la guerre lui paraissait très mal engagée et probablement perdue ; il était ainsi devenu le chef d'une fraction, progressivement grossie sans qu'il soit certain qu'elle fût majoritaire, qui souhaitait qu'il fût mis fin aux combats. Effectivement, dès sa nomination à la présidence du Conseil le 16 juin, Pétain fait demander par l'Espagne les conditions allemandes ; le lendemain, il annonce sa décision par une proclamation à la nation, dans laquelle il dé-

---

(1) Louis Noguères, *Le véritable procès du maréchal Pétain*, Fayard, 1955, p. 28-35.

clare, sans connaître encore la réponse des Allemands, que « il faut cesser le combat » — formule malheureuse qui n'incitait certes pas les troupes à se battre.

Au même procès du maréchal, et depuis dans d'innombrables ouvrages, les défenseurs du maréchal et les partisans du régime de Vichy ont présenté la demande d'armistice comme une ruse très habile du maréchal, sinon presque comme une victoire ; Pétain aurait ainsi stoppé une irrésistible avance allemande, écarté la Wehrmacht de l'Afrique du Nord et préservé celle-ci comme un tremplin pour les débarquements alliés, dans l'Empire d'abord, dans la métropole ensuite. Or nous savons aujourd'hui, par les documents allemands, que Pétain « avait demandé les conditions de paix allemande » (1) ; la différence est grande entre un armistice, interruption des combats provisoire et toujours révocable, et une paix qui met fin définitivement à la lutte, aux conditions voulues par le vainqueur. Il ne fait pas de doute que le maréchal Pétain, en juin 1940, ne pensait en aucune façon à une reprise ultérieure des combats, mais seulement à sortir la France de la guerre où, selon lui, elle s'était malheureusement fourvoyée.

Les conditions de l'armistice étaient dures, mais pas inacceptables, et elles laissaient à la France vaincue d'appréciables atouts. Certes, la moitié nord de la France, la plus riche, la plus peuplée, serait occupée ; les armes et le matériel de l'armée française seraient remis au vainqueur ; la France paierait une énorme indemnité d'occupation ; c'était un diktat que les négociateurs français n'ont pas eu la possibilité de discuter. Mais Hitler n'a pas voulu, par opportunisme, écraser la France, tout en refu-

_____

(1) *Archives secrètes de la Wilhelmstrasse*, t. IX, liv. II, p. 310.

tant de dévoiler ce que seraient ses exigences à la paix (1). Une moitié de la France demeurait théoriquement libre, sous le contrôle de commissions d'armistice, et l'administration française était toujours, en principe, en zone occupée, soumise au gouvernement français. L'autorité de celui-ci demeurait entière dans l'Empire ; aucune entrave n'était prévue à son autorité en zone sud ; il conservait une armée de 100 000 hommes et la marine de guerre, à peu près intacte, sous certaines conditions. Ainsi l'armistice laissait au gouvernement français les principaux attributs de la souveraineté : territoires soumis à son autorité, pouvoirs de justice et de police, droit de légiférer et d'administrer, relations directes avec l'étranger, maintenance de forces armées.

Il est vrai qu'une inquiétude subsistait à l'égard de la Flotte ; la clause n° 8 de la convention prévoyait qu'elle serait désarmée sous contrôle ennemi, dans ses ports d'attache du temps de paix — c'est-à-dire qu'elle serait, en zone nord, à la discrétion des troupes allemandes. L'Allemagne promettait de ne pas essayer de s'en emparer. Mais comment se fier à la parole d'Hitler ? A Rethondes, puis à Turin, les délégués français essayèrent de faire modifier l'inquiétant article 8 ; un refus catégorique leur fut objecté.

L'armistice n'a pas cessé d'être passionnément discuté. Certes tout le monde s'accorde sur l'impossibilité de poursuivre la guerre en France ; sur la possibilité de continuer la guerre en Afrique du Nord, les seules certitudes sont que le problème n'a pas été sérieusement étudié, que l'Empire offrait

(1) Texte de la Convention d'armistice in *La délégation française auprès de la Commission allemande d'armistice*, Imprimerie nationale, 1947, t. I, p. 1-8.

plus de ressources à l'été de 1940 qu'à l'automne de 1942, et que toute la population désirait se battre (1) ; mais l'incertitude demeure sur le comportement allemand. Le vrai problème est seulement de savoir si la signature de l'armistice condamnait la France à une politique d'abandons successifs et croissants. En fait, une fois écartée la poursuite de la lutte, contrairement aux comportements du roi de Norvège, de la reine de Hollande, et aux initiatives du général de Gaulle, trois attitudes étaient possibles : appliquer l'armistice, en rusant avec le vainqueur et en se bornant à administrer la France, dans l'union la plus large (ce qui se passera au Danemark) ; conserver des relations avec les Anglais et attendre l'instant favorable pour changer de camp (ce que fera Darlan, un peu malgré lui, à Alger) ; considérer que la guerre était finie pour la France et que l'armistice permettrait, d'une part, de changer le régime condamné par la défaite et, d'autre part, de parvenir à une entente définitive avec le vainqueur. C'est ce troisième comportement que choisit le gouvernement du maréchal Pétain.

II. — Le vote des pleins pouvoirs par l'Assemblée nationale

La convention d'armistice laissait au gouvernement français la possibilité de revenir à Paris ; en fait, les Allemands feront la sourde oreille aux quelques avances qui leur seront faites dans ce sens ; écartant toute grande ville, comme Lyon et Marseille, le gouvernement vint s'établir à Vichy au début du mois de juillet 1940 ; la ville avait été choisie en raison de ses nombreux hôtels, qui per-

---

(1) A. Truchet, *L'armistice et l'Afrique du Nord*, puf, 1955.

mettraient d'héberger ministères et administrations. Les députés et sénateurs y furent convoqués pour voter une modification à la Constitution. Contrairement à l'avis de quelques ministres, qui désiraient mettre le Parlement en congé et gouverner par décrets, le maréchal Pétain suivit Pierre Laval, qui se faisait fort d'obtenir pour lui l'attribution de pleins pouvoirs par la grande majorité des parlementaires ; la solution avait le double avantage de rompre totalement avec la IIIe République, tout en assurant une naissance légitime à un nouveau régime. Ainsi commença cette étonnante coopération entre Pétain et Laval, deux hommes aussi dissemblables qu'on pût l'imaginer, qui ne s'aimaient pas, se méfiaient l'un de l'autre, mais qui étaient complémentaires et comprenaient qu'ils devaient faire équipe ensemble.

Sur les 932 membres de l'Assemblée nationale, sénateurs et députés, 666 purent venir à Vichy. P. Laval, agissant au nom du maréchal, profitant de l'extraordinaire ascendant de celui-ci, fort à l'aise dans les manœuvres de couloir, obtint sans peine, par 569 voix sur 649 votants, et seulement 80 opposants, l'adoption de l'article unique d'une loi constitutionnelle « donnant tous pouvoirs au gouvernement de la République, sous l'autorité et la signature du maréchal Pétain, à l'effet de promulguer, par un ou plusieurs actes, une nouvelle Constitution de l'Etat français » — l'expression faisait ainsi son apparition à la place du mot République. « Cette Constitution devra garantir les droits du Travail, de la Famille et de la Patrie » — et non plus « liberté, égalité, fraternité ». Les parlementaires obtinrent que « la Constitution serait ratifiée par la nation », mais durent accepter « qu'elle soit appliquée par les assemblées qu'elle aurait créées ». Ainsi, la Chambre des députés du Front populaire avait décidé, sans une réelle opposition (1), la mise à mort de la République ; elle signait en même temps sa propre disparition, bien qu'elle fût maintenue en activité, mais en sommeil, tant que la nouvelle Constitution n'entrerait pas en vigueur. Pendant les débats, tous les orateurs, à commencer par les Présidents Herriot et Jeanneney, avaient manifesté la plus grande admiration et une confiance totale pour le maréchal Pétain.

Dans l'état où était la France, il était difficile de faire les choses plus régulièrement — c'était presque un miracle d'avoir pu convoquer les parlementaires, et un autre qu'ils aient réussi si nombreux à rallier Vichy, en dépit du délabrement des moyens de transport. Aussi bien, personne en France ne mit en doute la légalité du vote. Le nouveau régime fut reconnu également par le monde entier, à l'exception de la Grande-Bretagne ; les Etats-Unis, l'URSS et le Vatican accréditèrent des ambassadeurs auprès de lui. Les seules critiques vinrent du général de Gaulle, à Londres. Elles furent exprimées par son conseiller juridique, René Cassin (2). Celui-ci releva de nombreuses irrégularités, pour la plupart d'importance mineure étant donné les circonstances. Mais il en exprima aussi deux capitales, une de droit, une de fait : d'un point de vue constitutionnel, l'Assemblée nationale avait le droit de réformer la Constitution, non le droit de déléguer ce droit ; surtout, les troupes allemandes étaient à quelques kilomètres de Vichy ; si, physiquement, les parlementaires avaient pu délibérer librement, moralement ils avaient agi sous la contrainte ennemie. La presse clandestine reprendra plus tard ces cri-

---

(1) Etaient absents les parlementaires communistes déchus de leur mandat, et ceux qui avaient pris passage sur le paquebot *Massilia* pour essayer de gagner l'Afrique du Nord.
(2) René CASSIN, Un coup d'Etat, in *La France libre*, décembre 1940 - janvier 1941.

tiques, pour justifier sa désobéissance au « pouvoir de fait » de Vichy ; à la Libération, la plupart des décisions du régime seront automatiquement annulées comme illégales. Mais, dans l'immédiat, en France, Pétain bénéficia d'un consensus à peu près unanime. Pour le maréchal, ces arguties juridiques comptaient peu ; à ses yeux, quelques centaines de parlementaires ne représentaient pas la France ; mais elles avaient beaucoup de poids pour Laval qui apparaissait ainsi, alors qu'il avait été un des parlementaires les plus discutés de la IIIe République, comme la tête politique du nouveau régime, et qui espérait bien gouverner la France au nom du maréchal, tout en tenant celui-ci respectueusement à l'écart. Restait à savoir quel usage Pétain ferait des pouvoirs dont il était ainsi investi, et dont il n'est pas sûr qu'il ait tout de suite mesuré pleinement l'étendue. Surtout, restait à prouver que, né de la défaite, créé en présence du vainqueur, bien que celui-ci ne soit en aucune façon intervenu dans sa gestation, le nouveau régime pourrait véritablement se dégager de la tutelle de l'occupant, et gouverner en toute indépendance. Dans l'immédiat, une chose était certaine : la République était morte et enterrée (1).

III. — Les nouveaux dirigeants : leurs idées

Dans le nouveau régime se révèlent vite quatre têtes : trois militaires, le maréchal Pétain, le général Weygand et l'amiral Darlan ; un civil, Pierre Laval ; aucun n'est un « homme nouveau » ; tous quatre ont fait une carrière brillante sous la IIIe République ; ils se connaissaient mal et n'avaient jamais agi ensemble avant la défaite. Leur première préoc-

(1) Un seul député avait crié à la fin de la séance « Vive la République, quand même ! ».

cupation est de se débarrasser des parlementaires ; déjà, dans le gouvernement du 12 juillet 1940, sur 36 membres du cabinet, huit seulement étaient des parlementaires ; le remaniement du 6 septembre ne laisse plus en place que Pierre Laval. Par contre, augmente le nombre de ministres spécialistes du département qu'ils doivent gérer — un juriste à la Justice, un syndicaliste au Travail, un inspecteur des Finances aux Finances, un général à la Guerre, etc. Ils se font seconder par des techniciens, plus jeunes, des hommes de 40 ans, dont certains ont les dents longues. Dans l'ensemble de la nouvelle « classe politique », les avocats, les universitaires, les ouvriers sont défavorisés ; apparaissent par contre en nombre militaires, notables, anciens combattants.

Tous les ministres sont responsables devant le seul maréchal Pétain — c'est une personnification du pouvoir telle qu'elle se généralise à ce moment en Europe ; il est « le chef ». A 84 ans, le maréchal fait preuve d'une robustesse et d'une prestance exceptionnelles ; mais l'ouïe est affaiblie, l'attention éphémère, la mémoire défaillante. Ce qui caractérise le comportement de Pétain, c'est un autoritarisme tout militaire. Il demande « l'obéissance aveugle » ; il appelle traîtres « ceux qui ne respectent pas les ordres qu'il donne » ; tout simplement, il s'identifie à la France. Mais il n'a pas reçu la formation et ne possède pas les connaissances nécessaires pour exercer les fonctions qu'il assume ; son ignorance de la politique est grande, son caractère velléitaire. Cependant, sa stature est immense ; il est incontestablement le premier des Français, le plus connu à l'étranger ; rien d'important ne se fera qu'il n'ait approuvé (1).

(1) J. PUYMÈNE, *Pétain*, Le Seuil, 1964.

Le général Weygand bénéficiait d'une solide réputation de dévouement à la chose publique ; la rugosité de son caractère, la vivacité de ses réactions avaient provoqué plus d'un éclat. Il n'aimait guère la République, méprisait les politiciens, et ne le cachait pas ; mais il avait servi fidèlement aux postes qui lui avaient été assignés. A 73 ans, il est encore très vert, de corps et d'esprit. Il avait appartenu à la « maison Foch », mais une solidarité durable et une fidélité sans faille le lieront à Pétain dès qu'il sera appelé auprès de lui. Son sens de la discipline, son abnégation en font l'archétype du militaire ; aussi bien, l'armée de l'armistice se reconnaît en lui. Mais les vues politiques du général étaient courtes ; il les résumait dans la formule « Dieu, Patrie, Famille » ; son passage au gouvernement sera bref, mais son influence demeurera grande jusqu'à sa mise en réserve (1).

Avec ses 59 ans, l'amiral Darlan fait figure de benjamin. Son passé jure avec ceux de ses aînés ; il a fait carrière dans les cabinets ministériels de la République autant que dans des commandements en mer, et il avait gagné la confiance d'hommes de gauche, tels Léon Blum et Campinchi. Partisan de la résistance au moment de l'armistice, il avait viré de bord après une conversation avec Pétain le 12 juillet. L'amiral Darlan s'était fait une solide réputation de bon administrateur et d'habile manœuvrier, mais nul ne sait s'il a des idées politiques, et ce qu'elles sont. Il commande la Flotte, c'est-à-dire le plus beau fleuron des forces militaires, le meilleur atout que l'armistice ait laissé à la France, la seule force qui inquiète Allemands et Italiens. Aussi bien, l'amiral fait corps avec sa marine ; sa politique consistera essentiellement à lui conserver sa puissance, et à lui donner le premier rôle.

Au milieu de ces militaires, la présence du politicien discuté qu'est Pierre Laval étonne. Il était le seul à avoir, derrière lui, à 57 ans, un long passé d'homme d'Etat. Il s'était signalé par son indifférence aux idéologies — il était passé de l'extrême-gauche à la droite — et son habileté à manipuler les hommes. L'échec de sa politique de déflation, puis la poussée du Front populaire, l'avaient durablement écarté du pouvoir ; il s'était opposé à la guerre et avait mené campagne pour une paix de compromis. Il avait la réputation d'être bien vu par Mussolini, mais il ne s'était jamais manifesté comme un partisan des régimes fascistes. Probablement a-t-il vu dans la défaite une sorte de crise ministérielle : le « parti de la guerre » ayant capoté, « le parti de la paix » prenait le pouvoir. Mais Laval

(1) G. Raissac, *Un soldat dans la tourmente*, Albin Michel, 1963.

13

est impopulaire dans la nation, et il ne dispose pas de collectivité puissante sur laquelle il puisse s'appuyer (1).

Les quatre hommes diffèrent et, tout en coopérant, se méfient les uns des autres. Ils se prendront le pouvoir ou s'élimineront réciproquement, comme aux beaux jours de la République, les crises politiques se dénouant dans le cabinet du maréchal, au lieu de l'arène parlementaire. Mais ils ont, en 1940, deux lots d'idées en commun. Le premier est la conviction que la République, la démocratie, le système parlementaire, les partis de gauche surtout, sont responsables du désastre militaire ; il faudra procéder à de grands changements politiques et sociaux, dont la loi constitutionnelle du 10 juillet donnait la possibilité. Le second est cette autre conviction que l'Allemagne a gagné la guerre, que l'Angleterre ne tiendra pas et que, pour préparer à la France l'avenir le moins mauvais, il ne reste plus qu'à s'entendre avec le vainqueur. « Révolution nationale » et « collaboration » sont ainsi les filles jumelles de la défaite.

IV. — Mussolini, Hitler et la France

Avant même la signature de l'armistice, Mussolini avait fait connaître ses ambitions territoriales aux dépens de la France : Nice, la Corse, la Tunisie, la Côte des Somalis deviendraient italiennes ; la Tunisie s'étendrait dans le département de Constantine ; le Duce admettait que la Savoie était française et le demeurerait ; il voulait aussi un débouché sur l'Atlantique à travers l'Afrique du Nord. Pour prendre des gages, Mussolini préconisait un désarmement total des forces françaises (Flotte comprise) et l'occupation de toute la France (2).

Tout en promettant à son partenaire que ses ambitions seraient satisfaites à la fin de la guerre, Hitler l'avait mis en garde contre d'excessives convoitises

(1) H. COLE, *Laval, a biography*, Londres, Heinemann, 1962 ; G. WARNER, *Laval and the eclipse of France*, New York, Mac Millan, 1968 ; Ch. GOUNELLE, *Le dossier Laval*, Plon, 1969.
(2) *Archives secrètes du comte Ciano*, Plon, 1948, *passim*.

immédiates. Elles auraient pour effet de dissuader les Français de signer l'armistice ; ils continueraient à se battre dans leur empire et, surtout, leur Flotte intacte se joindrait à la Royal Navy, ce qui rendrait plus difficile le blocus de l'Angleterre, et fournirait aux Alliés la maîtrise de la Méditerranée, ce dont l'Italie aurait à pâtir la première. D'autre part, en laissant aux Français l'illusion d'un territoire libre et d'un gouvernement indépendant, on éviterait une administration directe qui serait lourde, et qui hérisserait la population ; par contre, si leurs désirs étaient réalisés par une autorité française à leurs ordres, les vainqueurs n'éprouveraient aucune difficulté à exploiter les vaincus. Mussolini se déclara d'accord (1). Mais le Führer n'était pas décidé pour autant à consentir de grandes concessions aux Français ; ils avaient voulu la guerre, ils l'avaient perdue, ils devraient payer et cher, telle était la loi ; une exploitation rigoureuse de leurs richesses était d'ailleurs absolument nécessaire à l'économie de guerre du Reich. Ce que seraient les conditions imposées à la France, à la fin du conflit, Hitler se gardait bien de le révéler, sauf pour affirmer qu'elles seraient très dures, territorialement et économiquement. Le Führer avait également promis à Franco, avec moins de netteté, qu'il obtiendrait satisfaction pour ses revendications sur le Maroc, l'Oranie et la Catalogne — mais certains plans allemands prévoyaient une implantation sur la côte atlantique du Maroc. Ainsi, alors que les Français croient avoir remporté un demi-succès en obtenant un armistice, Hitler est au contraire très heureux de cette solution ; la France sortie du conflit, il va pouvoir retourner toutes

(1) *Archives secrètes de la Wilhelmstrasse*, Plon, t. IX, liv. II, p. 347, 332-335, 419.

ses forces contre la Grande-Bretagne sans avoir à redouter l'ouverture d'un second front en AFN. Certes, il se méfie de tous les Français ; il lui paraît impossible que ces éternels ennemis de l'Allemagne soient sincèrement désireux de reconnaître leur défaite, et d'accepter sa suprématie ; il les soupçonne tous de souhaiter et de préparer la revanche ; il lui arrive même de croire que Pétain et de Gaulle sont secrètement de connivence. Mais le grand prestige de Pétain comble ses vœux ; il le préfère de loin à P. Laval, et, plus encore, aux marionnettes que sont les collaborateurs de zone nord. Tant que la France conservera quelques atouts, le Führer sera plein de prévenance envers Pétain, sans rien céder sur l'essentiel ; le ton deviendra plus dur après novembre 1942. Ce qui est surprenant, c'est que le maréchal n'ait jamais paru se douter que, en cessant le combat, en refusant de quitter la France, il faisait exactement ce que souhaitait Hitler.

En zone occupée, l'autorité allemande était assumée par le commandant militaire ; il disposait de deux états-majors ; un pour les problèmes militaires des troupes d'occupation ; l'autre pour les affaires économiques, sous la direction du Dr Michel — il était divisé en 28 sections correspondant chacune à une branche de l'économie française. Mais Ribbentrop, dès le 3 août 1940, doubla l'administration militaire par un « ambassadeur à Paris », Otto Abetz, chargé des questions politiques dans les deux zones. En outre, un certain nombre de services de police, de propagande, de renseignement, relevaient pratiquement des ministères de Berlin, sans oublier la SS qui était entrée dans les fourgons de la Wehrmacht. Pour régler les problèmes relatifs à l'application de l'armistice, une délégation allemande siégeait à Wiesbaden, et une italienne à

Turin (1). Les Français vont avoir du mal à se reconnaître dans toutes ces autorités, pratiquement autonomes.

V. — La latitude d'action du régime de Vichy

La rigoureuse application de l'armistice par les Allemands réserva au gouvernement de Vichy de fort désagréables surprises. Ainsi, avec une grande rapidité et beaucoup de brutalité, les trois départements du Bas-Rhin, du Haut-Rhin et de la Moselle sont, la frontière étant reportée sur les Vosges, rattachés au Reich, germanisés et nazifiés ; les Français nés ailleurs, les francophones ou d'éventuels opposants sont expulsés — à la demande du gouvernement de Vichy, dit en outre la propagande allemande (2). Les deux départements du Nord et du Pas-de-Calais sont rattachés au commandement militaire de Bruxelles, officiellement pour des raisons stratégiques, mais la conséquence première est que l'autorité de Vichy ne s'y exerce plus. Enfin, sans donner aucune raison, les Allemands créent une zone « interdite », qui va de l'Ardenne à la Franche-Comté ; les réfugiés de l'exode, qui y habitaient, ne peuvent pas y revenir ; or, on constate à Vichy, fâcheux augure, que la nouvelle frontière est celle du Saint-Empire romain germanique. Sans attendre, d'ailleurs, les Allemands procèdent à une colonisation partielle dans les Ardennes et la Lorraine, l'Ostland (3).

Ce sont là des violations flagrantes de l'armistice,

(1) Général WERNOUX, *Wiesbaden, 1940-1944*, Berger-Levrault, 1954.
(2) P. CEZARD, L'annexion de fait de l'Alsace-Lorraine, in *Revue d'histoire de la deuxième guerre mondiale*, janvier 1952.
(3) J. MIEVRE, Le système Ostland en France, *Annales de l'Est*, Université de Nancy, 1973.

en application de la loi du plus fort. Le gouvernement de Vichy a souvent protesté, parfois de façon véhémente — plus de cent notes de protestation au sujet de l'Alsace-Lorraine, non rendues publiques, il est vrai, ce qui leur ôtait beaucoup de leur force. Les Allemands ont constamment rejeté catégoriquement toutes ces protestations ; ils n'ont jamais consenti qu'à des aménagements de détail ; convaincus qu'une rupture de l'armistice serait la pire des catastrophes, les dirigeants de Vichy n'envisageront jamais d'en prendre eux-mêmes l'initiative, en se transportant à Alger par exemple, avec la Flotte ; ils ne mettront jamais dans la balance les atouts que l'armistice leur a laissés, en menaçant de rompre. Ils protesteront ; puis, craignant d'avoir irrité les Allemands et provoqué la foudre de leur colère, ils se soumettront.

De quelle latitude d'action disposaient-ils ? En zone occupée, leur autorité n'est reconnue que par un commentaire de la convention d'armistice, les Allemands ayant déclaré « qu'ils n'avaient pas l'intention de se charger de l'administration civile ». Mais, formule redoutable et imprécise, la convention accordait au vainqueur « les droits de la puissance occupante » ; il intervient ainsi dans tous les domaines et, pour affirmer sa présence, le gouvernement de Vichy va être conduit, par une sorte de comportement de gribouille, à appliquer lui-même les mesures décidées par l'occupant, ce qui en fera retomber sur lui toute l'impopularité, notamment dans les arrestations de Juifs. Du moins, en zone dite libre, l'indépendance de Vichy est-elle entière ? En théorie oui ; les Allemands n'interviendront en aucune manière dans les décisions de politique intérieure, à condition toutefois qu'elles ne leur paraissent pas dangereuses. Mais ils se sont réservés tout un ensemble de moyens de pression auquel il est difficile aux dirigeants de Vichy de ne pas se soumettre (1). Les commissions d'armistice possèdent un droit total de perquisition. En Allemagne, plus d'un million et demi de prisonniers de guerre, au sort desquels le maréchal Pétain est particulièrement sensible, peuvent être les victimes du mécontentement allemand. Surtout, la ligne de démarcation est devenue une véritable frontière que l'occupant ferme ou entrouve à son gré ; or, économiquement, les deux zones sont complémentaires ; la fermeture de la ligne condamne la zone sud à la famine et son industrie à l'asphyxie. A quelques kilomètres de Vichy, d'ailleurs, commence la présence allemande ; que faire si quelques chars franchissent la ligne et mettent fin à « la liberté » du gouvernement français ?

Ainsi, l'extrême faiblesse du régime de Vichy se confirme-t-elle de jour en jour. Son autorité, nulle dans les zones annexées et réservée, n'existe en zone occupée que si elle sert entièrement l'occupant. En zone dite libre, le vainqueur peut imposer toutes ses volontés, sur n'importe quoi, grâce aux moyens de pression irrésistibles dont il dispose. Toute critique de la politique suivie par le maréchal Pétain doit tenir compte de la faible marge d'action qui lui était laissée si, naturellement, il continuait à vouloir respecter la convention d'armistice *quelle que fût l'évolution du conflit*. En signant l'armistice pour une durée que tout le monde croyait limitée, les Français, parce que la guerre continuait, avaient été pris dans un engrenage dont ils ne pouvaient plus se dégager, et qui les broyait peu à peu.

(1) H. MICHEL, Aspects politiques de l'occupation, in *Revue d'histoire de la deuxième guerre mondiale*, avril 1964, et La Révolution nationale. Latitude d'action du gouvernement de Vichy, *ibid.*, janvier 1971.

VI. — Les deux dissidences :
les « collaborateurs » de la zone occupée ;
la « France libre »

Pour sortir de l'engrenage, deux minorités tirent à hue et à dia le gouvernement de Vichy ; toutes deux portent des jugements sévères sur son comportement ; ce sont les groupements de collaboration, en zone nord, et la France libre, à Londres.

A Londres, le général de Gaulle avait, avec vigueur, rejeté l'armistice, dès avant sa signature, et proclamé que la guerre n'était pas perdue pour la France, qu'elle devait la continuer avec toutes les forces qui lui restaient. Puis, il avait formellement condamné le gouvernement de Vichy : « L'organisme qui prétend porter ce nom est inconstitutionnel et soumis à l'envahisseur ; dans son état de servitude, cet organisme ne peut être, et n'est en effet qu'un instrument utilisé par les ennemis de la France contre l'honneur et l'intérêt du pays « (1). Il affirmait que Pétain, « triste enveloppe d'une gloire passée, était hissé sur le pavois de la défaite pour endosser la capitulation et tromper le peuple stupéfait ». Le général de Gaulle avait réussi à rallier quelques territoires de l'empire, dont l'Afrique équatoriale française. Il avait fondé la « France libre », rallié quelques milliers de combattants, et sa propagande pénétrait peu à peu en France par le canal de la radio anglaise, la BBC (2).

Or, l'armistice obligeait la France à cesser les hostilités contre le Reich ; le gouvernement de Vichy était ainsi tenu de poursuivre le général de Gaulle et ses partisans. Le général n'est, pour le maréchal, qu'un soldat indiscipliné à la solde des Britanniques.

(1) De GAULLE, *Mémoires de guerre*, Plon, t. I, 1954, p. 303 et 421-423.
(2) H. MICHEL, *La France libre*, PUF, 1963.

Dans un de ses messages à la nation, Pétain caractérisera la dissidence gaulliste comme « une volonté d'exploiter le désarroi des Français et de dresser le pays, par un constant appel à l'indiscipline, contre l'effort de relèvement national ». Le général de Gaulle fut condamné à mort par contumace. Dans l'optique d'un armistice qui avait sauvé la France, il devenait le principal adversaire du régime ; dans la sacralisation du maréchal à Vichy, ses attaques contre Philippe Pétain revêtaient en outre le caractère d'un véritable sacrilège.

Les groupements fascistes de zone nord paraissaient plus dangereux. Certes, ils étaient divisés ; le chef du principal d'entre eux (1), Doriot, n'était pas un adversaire du maréchal ; ensuite, leur recrutement demeurait faible mais il était clair qu'ils étaient entièrement à la solde de l'occupant. Celui-ci ne veut pas prendre lui-même le pouvoir, mais il peut les y hisser ; il se rend compte qu'ils sont loin d'égaler le poids du maréchal Pétain dans l'opinion, et que les Français ne les suivraient pas comme ils suivent le maréchal. Le plan de Abetz est en effet — il l'a décrit dans une circulaire de juillet 1940 — « de toujours rechercher l'affaiblissement de la France... et de maintenir dans le pays une constante division interne ». Abetz se garde bien d'ailleurs d'unifier ces groupuscules en un seul mouvement puissant qui pourrait, ultérieurement, devenir un danger ; il envenime au contraire les rivalités, entre Déat et Doriot notamment ; il se sert des groupements qu'il entretient comme d'un moyen de pression sur Vichy.

En effet, la presse de la collaboration attaque le régime de Vichy avec autant de véhémence que la France libre ; mais elle se garde de s'en prendre

---

(1) M. COTTA, *La collaboration*, A. Colin, 1964, coll. « Kiosque »; H. MICHEL, *Paris allemand*, Albin Michel, 1981.

maréchal ; elle vitupère son entourage. Elle
oche au régime d'être clérical et réactionnaire,
ffisamment gagné au « national-socialisme »,
et à « l'ordre nouveau européen ». Elle le soupçonne
de se dire partisan d'une entente avec l'Allemagne
seulement du bout des lèvres, et elle l'incite à
s'allier sans réserve avec l'Allemagne (1). Le maréchal Pétain est sensible à ces attaques qui diminuent
son prestige en zone occupée. Mais la démarcation
entre les troupes de la collaboration et celles de
Vichy n'est pas très claire ; elles se rejoignent dans
le rejet de la France libre et dans la condamnation
du communisme ; Laval sera d'ailleurs longtemps
très lié avec Déat. Mais, constamment accusés de
jouer un double jeu, les dirigeants de Vichy devront
s'en défendre et, pour cela, multiplier auprès de
l'occupant les avances et les manifestations de leur
bonne foi.

VII. — La vie à Vichy

Le gouvernement français avait envisagé de revenir à
Paris ; le séjour à Vichy n'était qu'une étape sur ce retour ;
dans la capitale, pensait-on, l'autorité gouvernementale serait
mieux assurée sur la zone occupée. Mais, en contrepartie, sa
dépendance à l'égard de l'occupant ne serait-elle pas plus
évidente ? Au moment du retour des cendres de l'Aiglon,
le bruit n'avait-il pas couru, et l'alarme ne sera pas oubliée
d'aussi tôt, que les Allemands garderaient Pétain prisonnier ?
De leur côté, les Allemands ne tenaient guère à voir Pétain
à Paris, ou à Versailles, comme il fut envisagé. Ils s'affirmaient
plus facilement les maîtres de la zone occupée en son absence,
et ils ne voulaient pas le priver de ce semblant d'indépendance
qui garantissait la docilité de la population (2). Après quelques
brèves démarches, la question sera enterrée, d'un tacite accord.
Pétain se bornera à quelques voyages en zone occupée, pour

(1) Cl. LÉVY, La presse d'occupation, conditions d'existence, in
Revue d'histoire de la deuxième guerre mondiale, octobre 1970.
(2) H. MICHEL, Vichy année 40, Robert Laffont, 1966, p. 72.
176-177.

montrer à ses habitants qu'il ne les abandonnait pas, et il y sera accueilli avec chaleur.

Le gouvernement demeure donc à Vichy ; les ministères et les visiteurs pouvaient y être logés ; la difficulté première résidait dans les relations avec les services parisiens, que l'occupant pouvait surveiller, interrompre ou interdire à son gré. Comment fonctionnait le gouvernement ? La solidarité des ministres, propre au système parlementaire, n'existait plus ; chaque ministre était choisi par le maréchal, responsable devant lui, renvoyé par lui. Une telle méthode aurait dû permettre de remédier à l'instabilité ministérielle, si vivement reprochée à la IIIe République ; il n'en fut rien ; sans que les Allemands interviennent, il y eut neuf remaniements ministériels de 1940 à 1943 ; au cours de la première année, quatre ministres se succèdent aux Affaires étrangères, cinq à l'Instruction publique, cinq à l'Intérieur, six à la Production industrielle, quinze secrétaires d'Etat en quatre ans à la Radio et huit à l'Information... « Vichy fut réellement un panier de crabes » écrit Robert Paxton (1). En fait, l'autorité du maréchal, même diminuée par lui-même au profit de Laval, après avril 1942, était reconnue par tous ; elle assurait la permanence d'une politique, intérieure et extérieure, « Révolution nationale » et « collaboration », qui, dans ses grandes lignes, se révéla la même pendant quatre ans, conformément aux orientations décidées par Pétain.

Les hommes politiques, comme les autres hommes, sont marqués par le contexte humain dans lequel ils vivent et travaillent. Le choix de Vichy se révéla malheureux. Le premier inconvénient était l'insuffisance des installations matérielles, et le second la promiscuité. Malgré les filtrages, les lieux de résidence des ministres, et même l'hôtel du Parc, où Pétain était installé, étaient ouverts à tous les vents. Les hommes politiques, les hauts fonctionnaires se rencontraient à tous moments, dans les halls, les rues, les parcs, les restaurants ; les contacts humains étaient certes facilités, et l'examen des problèmes parfois accéléré. Mais, dans le train-train de la petite ville, les rumeurs, les ragots, s'amplifiaient comme dans une boîte à résonance ; les fausses intrigues multipliaient les petits complots réels, aiguisant les différends et aigrissant les humeurs. Surtout, la ville était malaisément accessible de tous les coins de la zone sud ; elle l'était encore plus de la zone occupée, et pas du tout reliée aux zones annexée et interdite. De ce fait, il était difficile aux dirigeants de s'informer, de prendre les pulsations du pays, de garder le contact avec

(1) R. O. Paxton, *La France de Vichy*. Le Seuil, 1972.

toutes les couches de la population, comme cela eût été possible à Lyon ou à Marseille. La vie, à Vichy, se déroulait ainsi en vase clos, dans une ambiance de futilité et d'agitation vaine. Le général Weygand, en Afrique, respirait un air moins confiné ; l'amiral Darlan effectuait de grandes tournées ; Pierre Laval passait une grande partie de son temps à Paris. Mais Pétain demeurait pratiquement toute l'année à l'hôtel du Parc, entre sa chambre, son bureau, son restaurant et son jardin ; il y était l'objet d'une vénération et d'une adulation unanimes et permanentes ; quand il en sortait, c'était pour retrouver, dans les villes où il se rendait, la même atmosphère quiète et la même adhésion sans problème. Cette vie douillette s'accordait mal avec la tragédie qui ensanglantait le monde, et jurait avec la passion que vivait la France. Elle donnait aux dirigeants français une fausse impression de sécurité et une idée excessive de leur importance ; c'était la vie d'une petite cour, où il fallait approcher le souverain et lui plaire, plus que lui ouvrir les yeux et lui montrer la désagréable réalité (1).

VIII. — La France après l'armistice

La bataille avait été brève, mais coûteuse ; 84 000 soldats et 80 000 civils tués, 1 800 000 prisonniers de guerre, 200 000 blessés — tel était le bilan. Les ruines étaient inégalement réparties ; la région du Nord, les Ardennes, la basse Seine, la Loire moyenne avaient été particulièrement touchées ; cependant 500 communes étaient détruites, plus de 300 000 immeubles sinistrés, dont 65 000 complètement. Au nord d'une ligne Nantes-Poitiers-Lyon, toutes les grandes voies ferrées étaient interrompues, et 540 ouvrages d'art hors d'usage. La quasi-totalité des services des PTT avait cessé de fonctionner à mesure de l'avance ennemie. Bombardements, incendies et pillages avaient occasionné la perte d'un nombreux courrier et de valeurs comptables importantes ; les receveurs avaient souvent procédé à des destructions volontaires de bons du Trésor, de billets de banque, de lettres recommandées, etc.

Le désordre est général ; près de cinq millions de personnes, dont plusieurs centaines de milliers d'étrangers, avaient fui leur domicile, dans un immense flux dérivant vers l'ouest ou vers le sud. Les maires, les fonctionnaires, avaient suivi le mouvement ; dans la zone occupée, plus rien ne marche et

(1) R. BRUGÈRE, *Veni, Vidi, Vichy*, Les Deux Rives, 1953; P. NICOLLE, *Cinquante mois d'armistice*, Bonne, 1947.

les Allemands doivent établir une administration provisoire — ce dont leur propagande tire parti pour affirmer aux populations que, abandonnées par leurs dirigeants, elles sont gérées par un vainqueur secourable. Par contre, de nombreux villages de la zone libre sont surpeuplés. Les villes sont coupées de leurs sources normales de ravitaillement ; les matières premières deviennent introuvables et des usines ont fermé leurs portes, pour cause de destruction, d'exode, de manque de main-d'œuvre ou de clientèle. Du coup, les salaires ne sont pas payés, au moment même où la démobilisation crée des chômeurs supplémentaires. La perception des impôts a cessé et les caisses de l'Etat sont vides ; la dispersion ou la fermeture des banques et des Bourses a tari les opérations de crédit (1).

Telles sont les conséquences de la guerre. Celles de la défaite ne sont pas moins graves.

Désormais, la France est soumise au blocus britannique, coupée de son empire colonial et privée de presque tout ravitaillement par mer ; elle est divisée en zones par des frontières que ne franchissent ni les hommes ni les produits ; elle est pillée par l'occupant, qui réquisitionne, achète à tour de bras avec les billets qu'il émet, confisque les stocks et les expédie en Allemagne — de Lyon, *après l'armistice*, en quatre jours, sont partis 82 trains, faisant 2 800 wagons, chargés de produits alimentaires, de combustibles minéraux, de produits chimiques et métallurgiques, etc. Pour mieux se servir, l'occupant a décidé en zone nord le rationnement des denrées. La nécessité oblige à l'imiter en zone sud : le 30 juillet, des cartes d'alimentation sont instituées pour le pain, le sucre, les matières grasses ; au 18 septembre, tout est contingenté ; les denrées de consommation, les textiles, le cuir ne sont plus délivrés que contre des tickets numérotés ; les rations baissent régulièrement et les tickets de distribution ne sont pas toujours honorés.

La France, d'un coup, était devenue un pays pauvre. L'administration se tira dans l'ensemble à son honneur des immenses difficultés qu'elle devait surmonter. La reprise d'une activité financière à peu

(1) Bouthillier, *Le drame de Vichy*, t. II, Plon, 1951, p. 244-251 ; Cépède, *Agriculture et ravitaillement en France durant la deuxième guerre mondiale*, Genin, 1961, p. 209 ; P. Durand, *La SNCF pendant la guerre*, puf, 1968 ; Paul, *Les PTT pendant la guerre*, travail inédit au Comité d'histoire de la deuxième guerre mondiale, remplacé en 1987 par l'Institut d'histoire des conflits contemporains.

près normale fut particulièrement rapide ; en octobre, une loi des Finances régularisa les paiements antérieurs. Une des conséquences du désastre fut l'instauration, par empirisme, d'un dirigisme étatique. Ainsi, les préfectures centralisèrent les plans et devis des travaux les plus urgents, et l'Etat prit à sa charge une grande partie du financement des chantiers ouverts (1). L'occupant ayant besoin de main-d'œuvre, en août, 1 700 000 personnes avaient regagné leur domicile en zone nord. A la fin de 1941, les Ponts et Chaussées avaient reconstruit 600 ponts et en avaient rendu 1 300 à la circulation, sur les 2 500 endommagés. Les PTT, de leur côté, avaient réparé 10 000 km de circuits téléphoniques et rouvert tous les bureaux de poste.

Ainsi la situation serait devenue à peu près normale, si l'armistice avait été la fin du conflit, mais celui-ci continuait, et il allait s'étendre.

(1) Y. DURAND, Chantiers et projets urbains dans le Loiret, in *Revue d'histoire de la deuxième guerre mondiale*, juillet 1970.

Chapitre II

LA RÉVOLUTION NATIONALE

Le maréchal Pétain n'avait pas attendu l'approbation de l'Assemblée nationale pour appeler les Français, le 25 juin, « à voir surgir une France neuve », née « d'un redressement intellectuel et moral ». Dès avant la guerre, il s'était intéressé à la réforme de l'Etat, et surtout à celle de l'enseignement. Lorsqu'il énumère les causes de la défaite, il insiste moins sur la disproportion des forces en présence que sur un « relâchement moral » des Français : « l'esprit de jouissance l'a emporté sur l'esprit de sacrifice ; on a revendiqué plus que l'on a servi ; on a voulu épargner l'effort, on a ainsi rencontré le malheur ». La « Révolution nationale » est inspirée par le maréchal. C'est lui qui en précise l'esprit, en fixe le sens, en annonce les étapes, par des discours ou des messages délivrés à la nation. Il le fait sur un ton sentencieux, dans un style sobre, toujours avec conviction, le plus souvent par des aphorismes non exempts de banalité.

C'est que les connaissances philosophiques, politiques et économiques du maréchal ne sont ni étendues ni profondes.

Sa formation est celle du saint-cyrien du temps de Jules Ferry, où on disait que les instituteurs allemands étaient les artisans de la victoire de la Prusse en 1870 ; le goût de la politique lui était venu tardivement, lors de son entrée au gouvernement après le 6 février 1934, mais sa formation était demeurée celle d'un soldat ; il croit à la vertu de la hiérarchie et de la discipline ; les ministres sont pour lui des officiers d'état-major. Son bagage d'idées est celui de la droite française conservatrice ; il se méfie du suffrage universel ; il accorde sa confiance au « pays réel » : les familles, les communes, les métiers, les provinces. La prolifération des fonctionnaires, l'irresponsabilité à tous les échelons sont pour lui les maux de l'époque. Le travail bien fait, l'artisanat, la vertu d'économie, la petite propriété rurale lui paraissent les ressorts des sociétés saines. Politiquement et socialement, il est réactionnaire.

Ainsi, à l'appel du maréchal, en présence de l'occupant, alors que la guerre continue et que toute action en profondeur ne peut atteindre que la moitié des Français, le régime de Vichy va entreprendre de « refaire la France ». Il va imposer au pays, sans le consulter, une thérapeutique dont celui-ci n'a pas voulu jusque-là, appliquée par des hommes dont beaucoup sont des recalés du suffrage universel. Le risque est grand de désunir ainsi les Français, alors que leurs malheurs devraient les rassembler. Des rancunes vont pouvoir s'assouvir. La différence est grande avec Bonaparte, qui avait déclaré « tout assumer » du passé, ou avec de Gaulle, qui avait promis de « rendre la parole au peuple français ». Certes le vainqueur n'impose pas ces réformes ; il s'en désintéresse, mais on peut présumer qu'il ne les laisserait pas s'accomplir si elles le desservaient. La « Révolution nationale » va revêtir un triple aspect : de dictature, de réformes et de répression.

I. — Une dictature non totalitaire

Le maréchal Pétain ne tarda pas à faire connaître l'usage qu'il comptait faire des pouvoirs que l'Assemblée lui avait accordés le 10 juillet. Dès le lendemain 11 juillet, trois actes constitutionnels étaient promulgués. Par le premier, le maréchal

« déclarait assumer les fonctions de chef de l'Etat français ». Par le deuxième, le chef de l'Etat s'attribuait « la plénitude du pouvoir gouvernemental », exécutif et législatif : nomination et révocation des ministres « responsables devant lui seul » ; promulgation et exécution des lois ; nomination à tous les emplois ; disposition de la force armée ; droit de grâce ; négociation et ratification des traités. Il ne se privait que du droit de déclarer la guerre « sans l'assentiment préalable des assemblées législatives ». Le troisième acte, tout en laissant subsister la Chambre des députés et le Sénat, les ajournait « jusqu'à nouvel ordre ».

Ainsi, en quelques lignes, le maréchal Pétain supprimait la IIIe République et lui substituait, non un régime fondé sur une nouvelle constitution, comme il en avait reçu mandat, mais des textes partiels établissant une véritable dictature personnelle. Une boutade circula aussitôt à Vichy que le maréchal avait tous les pouvoirs, sauf celui de changer une femme en homme. Il est clair qu'il avait délibérément outrepassé ses droits, la Constitution de 1875 devant rester en vigueur tant qu'elle n'était pas remplacée. Après la Libération, on a même parlé de « coup d'Etat ». Mais, dans l'immédiat, personne n'a mis en doute, explicitement, le droit du maréchal de se comporter de la sorte. Aucun des trois Présidents, Lebrun, Herriot, Jeanneney, ne protesta. Le style de ces mesures était pourtant encore plus significatif que le fond ; elles étaient paraphées par un majestueux pluriel, « Nous, Philippe Pétain, maréchal de France », qui fit se pâmer d'aise Charles Maurras et les tenants de l'Action française. Le maréchal lui-même n'avait d'ailleurs aucun doute sur la légitimité de l'autorité illimitée qui lui était échue.

En conséquence, mises en congé, les traitements

de leurs membres momentanément payés, les assemblées parlementaires ne jouèrent plus aucun rôle ; par la suite, leurs bureaux seront supprimés, ce qui motivera la première protestation, apparemment non désintéressée, de leurs présidents. L'ère des élections et des organes collégiaux représentatifs était bien révolue ; désormais, le pouvoir sera personnalisé et il viendra d'en haut. Par la suite, la loi du 12 octobre 1940 remplacera les conseils généraux élus par des « commissions administratives » nommées ; la loi du 14 novembre décidera que les conseillers généraux, d'arrondissements et municipaux, peuvent être « déclarés démissionnaires d'office de leurs fonctions ». Celle du 16 novembre substituera aux maires et aux conseils municipaux élus, dans les localités de plus de 2 000 habitants, des délégations nommées (1). En somme, d'un trait de plume, le chef de l'Etat peut changer le régime, instituer des lois, supprimer des libertés, révoquer des fonctionnaires, procéder à des arrestations, sans limite dans le temps, et sans avoir de comptes à rendre à personne. Effectivement, les préfets suspendent les municipalités jugées hostiles, dès avant la promulgation de la loi. Le 21 janvier 1941, le chef de l'Etat désigna un « Conseil national », caricature de représentation nationale ; certes, il était composé de personnalités de toutes origines, mais toutes étaient des notables et le Conseil national ne fonctionna que divisé en commissions consultatives ; il ne se réunira jamais en assemblée plénière. Les citoyens n'ont plus de représentants auprès des pouvoirs.

Cette dictature se moulera-t-elle sur les dictatures fascistes ? Deux décisions du maréchal l'en

(1) *Journal officiel*, 12 juillet 1940 ; Dumoulin de La Barthète, *Le temps des illusions*, Genève, 1946, p. 109 ; R. Bonnard, *Précis de droit public*, Sirey, 1944.

distingueront, au moins provisoirement. Après l'Assemblée nationale, s'était constitué à Vichy un « bureau provisoire du Comité d'organisation du parti unique », qui serait la « courroie de transmission » entre le pouvoir et la population. Déat, Montigny, Tixier-Vignancour, Scapini écrivirent à Pétain pour lui proposer la création de ce parti, tout en louant la sagesse des mesures prises par l'occupant en zone nord. Mais les hiérarques de Vichy se divisèrent sur ce projet ; le général Weygand s'y montra hostile ; Pierre Laval en caressa l'idée un moment, puis fit marche arrière quand il comprit qu'il risquait d'être évincé de la direction. Les deux plus puissants groupements fascisants de l'avant-guerre étaient d'ailleurs réservés : Doriot, avec le PPF, aurait voulu faire l'opération à son profit, et le colonel de La Rocque, tout en se plaignant que le nouveau régime s'inspirât de la doctrine du PSF sans le dire, conseilla à ses adhérents de se rallier sans réserve au maréchal. De son côté, celui-ci reçut les signataires de la lettre, mais se montra imperméable à l'idée qu'un parti, c'est-à-dire une fraction, pût prétendre s'ériger en un tout (1). Le régime de Vichy n'aura pas de parti unique, mais un ersatz, la Légion des Combattants.

Il n'aura pas non plus de « jeunesse unique », à la mode fasciste ou hitlérienne. Le 13 août 1940, le maréchal annonça que « tous les mouvements de jeunes existants seraient maintenus, et leur originalité respectée ». C'était l'annonce d'un pluralisme prometteur. En fait, le régime cherchera à créer une « jeunesse unifiée » — ce qui était un peu jouer sur les mots. Deux groupements, les « Compagnons de France » et les « Chantiers de la Jeunesse » bénéficieront de toute la sollicitude du pouvoir, notam-

---

(1) J.-P. COINTET, Marcel Déat et le parti unique, in *Revue d'histoire de la deuxième guerre mondiale*, juillet 1973.

ment en aide matérielle et en subventions. Par contre, seront supprimées les filiales de la « Ligue de l'Enseignement ». Mais, dans l'ensemble, une relative liberté d'expression sera laissée aux mouvements de jeunesse ; ainsi des hommes de toutes tendances, parfois même suspects d'opposition au régime, seront invités à séjourner dans l'école de cadres d'Uriage, dirigée par un officier, Dunoyer de Segonzac, pour confronter leurs expériences et dégager une sorte de doctrine du bien public. L'absence de parti et de jeunesse uniques conférait au régime de Vichy, au moins en ses commencements, une grande différence avec les régimes totalitaires (1).

II. — La Légion des Combattants

Le vainqueur de Verdun ne pouvait pas ne pas penser à s'appuyer sur les anciens combattants ; pendant la première guerre mondiale, ils avaient fait preuve d'abnégation et de sacrifice ; entre les deux guerres, ils avaient essayé de jouer un rôle politique ; certains s'étaient proposé d'amender le régime républicain ; d'autres avaient recherché une entente avec les anciens combattants allemands. Dans les deux sens, ils étaient des précurseurs ; par leur nombre — six millions — et leur diversité, ils pouvaient prétendre représenter le peuple français ; et on ne ferait pas appel en vain à leur esprit de discipline et à leur sens du devoir.

La loi du 29 août créa donc la « Légion française des Combattants », substituée aux anciennes associations — une unification que beaucoup de combattants avaient souhaitée. Pour en être membre, il fallait posséder la carte du combattant, être présenté par deux parrains, prêter serment au maréchal,

---

(1) A. BASDEVANT, Les services de la jeunesse, ibid., octobre 1964.

payer une cotisation. Les membres des comités communaux, départementaux, provinciaux, étaient élus, les chefs nommés. Le chef suprême était le maréchal, au titre de « doyen des médaillés militaires ».

La Légion, par ses sentiments patriotiques, pouvait devenir une sorte de mobilisation nationale permanente, un organisme paramilitaire, à la manière des « Casques d'acier » de la République de Weimar. Les généraux Weygand et Huntziger, certains des chefs des légionnaires, comme Valentin, le désiraient. Les Allemands s'en effrayèrent et ils interdirent la Légion en zone nord, où subsistèrent les anciennes organisations — un exemple d'une règle générale, selon laquelle les mesures décidées à Vichy franchiront mal la ligne de démarcation. Le rôle de la Légion demeura uniquement politique. Organisme officiel, elle avait « une place déterminée dans les organismes constitués ». Ses membres devenaient « les yeux et les oreilles du maréchal » ; leur rôle était de maintenir le culte des valeurs nationales et de soutenir la Révolution nationale — « la défendre et, au besoin, l'imposer ». Pratiquement, les anciens combattants de droite, des notables, prirent la tête de la Légion. Ils se complurent à se croire les dépositaires de la pensée du maréchal. Plusieurs directives précisèrent qu'ils devaient agir en liaison avec les représentants de l'Etat, et non se substituer à eux. Emportés par leur dévouement, leur action fut double ; ils organisèrent des défilés monstres, des manifestations, des émissions de radio, et ils commentèrent et propagèrent les messages du maréchal ; mais, en même temps, ils recherchaient et dénonçaient les adversaires de la Révolution nationale et leur activité un peu dévorante les faisait se heurter souvent aux fonctionnaires, aux préfets en premier.

Bref, au lieu de devenir le large creuset où se

retremperait l'âme nationale, la Légion tendit à être un organisme de combat intérieur, de pression, et par suite de division. Un pas vers l'activisme fut franchi avec la création, en février 1942, sous les ordres de J. Darnand, un brillant combattant des deux guerres, du « Service d'ordre de la Légion » (SOL), nécessaire peut-être au bon déroulement des meetings et cérémonies, mais qui devint vite un groupement de combat, une police parallèle, se livrant à des expéditions punitives (1), dans l'esprit trublion des squadristes italiens ou des sections d'assaut allemandes. Fidèle à Pétain, la Légion ne manifestera pas le même attachement à l'amiral Darlan et à Pierre Laval.

III. — L'ordre moral

La Révolution nationale s'inspire des idées de la « réaction française », celle qui n'a pas accepté la Révolution de 1789 et ses principes, coupables de substituer la notion d'un homme abstrait, et par suite un individualisme desséchant, aux réalités sociales. De là son hostilité à l'égard de tout ce qui n'était pas « français », hommes et idées. Le nouveau régime se méfiait aussi des appétits dévorants de l'Etat bien que, en fait, il ait dû augmenter considérablement le nombre de fonctionnaires (2) et s'engager, en raison des circonstances, nous le verrons, dans une économie dirigée. Il condamnait la centralisation jacobine et napoléonienne. Une autre conviction était la nécessité d'une société hiérarchisée, avec des élites dirigeantes. Il arrivait que la doctrine demeurât obscure ; Pétain avait parlé de « volonté de renaître », « d'ardente

(1) Interdiction à Gide de faire une conférence à Nice, bain forcé à Annecy pour de Menthon, etc.
(2) Il augmentera d'une bonne moitié.

résolution ». Mais le fond était clair : l'individu devait être remis à sa place, dans ses cadres naturels, famille, métier et patrie. C'est pourquoi le slogan « Travail, Famille, Patrie » remplaça « Liberté, Egalité, Fraternité ».

Cela signifiait que le citoyen avait plus de devoirs que de droits, et qu'il devait moins s'affirmer que coopérer, obéir plus que revendiquer. Une des idées maîtresses de Pétain était que les forces morales avaient le pas sur les forces matérielles. Aussi bien, la *morale*, pas très éloignée de celle enseignée dans les écoles normales après Jules Ferry (1), laïcité et internationalisme mis à part, est à la base de l'idéologie vichyste. Il importe d'abord de faire son *mea-culpa*, de reconnaître ses fautes et de s'en repentir. Dans un message de Noël, le maréchal rappela que « la France a été faite par les épreuves, les remords, les sacrifices ». Elle sera sauvée si les Français ne retombent pas dans l'esprit de jouissance, l'oubli des devoirs sociaux, la satisfaction de leurs bas appétits.

D'où l'importance capitale accordée à l'*éducation* des jeunes Français. Certaines des idées du maréchal étaient marquées au coin du bon sens, lorsqu'il condamnait une « pseudo-culture livresque », qu'il voulait « donner une place plus large au travail manuel dont la valeur éducative était méconnue » ou que, préconisant une formation du caractère « par l'effort », il entendait développer, dans les écoles et au-dehors, l'éducation physique et le sport — ce à quoi s'employa avec une saine ardeur le champion de tennis J. Borotra (2). Mais il condamnait aussi en bloc l'enseignement laïc, jugé peu patriotique. Aussi bien, l'Université fut réformée ; ses organismes consultatifs supprimés ; les écoles normales d'instituteurs fermées. Au lieu d'être neutre, de développer chez l'enfant le sens critique, et d'aiguiser l'intelligence, l'école dut enseigner les « valeurs traditionnelles ». Avec Jacques Chevalier, l'enseigne-

(1) Cf. sur ce point Y. DURAND, *Vichy 1940-1944*, Bordas, 1972, p. 64-65, qui insiste aussi, justement, sur l'influence de Lyautey.
(2) H. MAVIT, Education physique et sport, *Revue d'histoire de la deuxième guerre mondiale*, octobre 1964.

ment religieux fut rétabli, facultatif il est vrai. Une loi institua des frais de scolarité pour le 2e cycle du secondaire, réservant ainsi les grandes carrières aux enfants des bourgeois, qui se distingueront des autres en apprenant le latin, rendu obligatoire par Carcopino dans trois sections sur quatre (1). Tout naturellement, on va essayer d'utiliser l'école pour la propagande ; en octobre 1941, Darlan veut qu'elle combatte le gaullisme ; en 1943, les préfets demanderont aux maîtres de soutenir le gouvernement.

Mais ces maîtres sont jugés trop peu sûrs pour que les enfants leur soient entièrement confiés. Aussi bien sont créés des *mouvements de jeunesse*, indépendants et rivaux de l'Université. Certains sont nés de la nécessité d'occuper les jeunes sans emploi — « Compagnons de France », « Chantiers de la Jeunesse ». Avec ces derniers, créés et dirigés par le général de La Porte du Theil, une tentative originale est faite d'une éducation collective, « dans la nature », où le sentiment patriotique n'est pas oublié, au point d'inquiéter Allemands et Italiens. Mais d'autres groupements ont un but très nettement politique, de diffusion de la doctrine de la Révolution nationale. La tendance générale est moins d'informer et de former que de dresser, moins de permettre aux jeunes de choisir leur voie que de leur façonner l'esprit par la connaissance, comme d'un évangile, des messages du maréchal. On n'est pas loin de la doctrine fasciste « Croire, obéir, combattre », le combat devant essentiellement être mené contre l'ennemi intérieur. Ainsi les problèmes de la jeunesse — éducation physique, formation morale, apprentissage — sont-ils abordés dans un esprit et un but partisans : sélectionner les cadres de la Révolution nationale.

A la base de la Société, protégeant et éduquant l'enfant, le régime de Vichy plaçait la *famille*,

(1) E. MAILLARD, La réforme de l'enseignement, *ibid.*

« dépositaire d'un long passé d'honneur », chargée de « maintenir à travers les générations les antiques vertus qui font les peuples forts ».

Un pays meurt, à terme, c'est l'évidence, s'il n'a pas d'enfants ; il faut donc que les familles soient nombreuses. « Le droit des familles, proclame Pétain, l'emporte sur les droits de l'Etat et de l'individu. » Aussi bien une loi interdit-elle le divorce dans les trois premières années du mariage. Les pères de familles nombreuses siègent de droit dans de nombreux organismes. La mère est glorifiée au foyer, mais ne joue aucun rôle au-dehors. Sur ce point, le nouveau régime se borne à développer le « code de la famille » de Paul Reynaud. C'est un fait que, sous l'occupation, la propagande et les allocations s'ajoutant aux effets des longues nuits froides, les Français se sont mis à faire des enfants ; en 1944, le taux de fécondité sera le plus élevé depuis un siècle (1).

Mesures économiques mises à part, la Révolution nationale évoque surtout *l'ordre moral* des premiers temps de la IIIe République. *L'Eglise* y est remise à son rang, qui exige le respect.

L'Etat octroie des subventions aux écoles libres ; dès le 3 septembre 1940, une loi rend le droit d'enseigner aux membres des congrégations religieuses. Les biens de l'Eglise, saisis après 1905, mais non dévolus depuis, sont rendus aux associations diocésaines. Surtout, le régime fait siens, nous l'avons vu, les enseignements de l'Eglise sur la famille, la santé morale, les valeurs spirituelles ; dans ses déplacements en province, Pétain, non-croyant qui a épousé une divorcée, se rend régulièrement à la cathédrale, où il est accueilli par le clergé, sur le parvis ; pendant l'office, des officiers rendent les honneurs, sabre au clair. Le maréchal conseille aux enfants « d'aller à la messe, on n'y apprend que de bonnes choses ». On envisage de revenir sur la séparation de l'Eglise et de l'Etat et de négocier un nouveau concordat. Mais, en fin de compte, la séparation ne fut pas remise en question et on se borna, au bénéfice de l'Eglise, à régler des problèmes que son application avait laissés en suspens.

(1) Institut national de la Statistique, *Recensement général de la population du 10 mars 1946*, Paris, 1949.

IV. — L'économie : le retour à la terre et le corporatisme

Pour les réactionnaires français, les ruraux, vivant en autarcie, étaient la force du pays ; c'était leur ténacité qui avait gagné la bataille de Verdun ; l'exode rural était considéré comme une calamité et la ville, qui vidait la terre de ses bras, comme un facteur de faiblesse. Dans le domaine de l'agriculture, ce sont des conservateurs qui dominent à Vichy (1). Pétain lui-même aimait à être appelé le « maréchal paysan » et proclamait que « la terre ne ment pas, elle demeure votre recours ; elle est la patrie elle-même ; un champ qui tombe en friche, c'est une portion de la France qui meurt ». La petite propriété est présentée comme un « régime d'ascension lent, mais sûr ». Aussi bien la propagande officielle prêche « le retour à la terre », avec l'espoir d'enrayer l'exode rural. Des lois, qui reprennent celles de Daladier, favorisent le remembrement, réorganisent l'enseignement agricole, imposent le principe de l'indemnité de plus-value pour le fermier sortant — mesure révolutionnaire.

L'ingénieur agronome Caziot, devenu ministre, regroupe dans la *Corporation paysanne* tous ceux qui vivent de la terre, si différents qu'ils soient par leur nature et leurs intérêts. La Corporation doit permettre la gestion économique et sociale de la profession par ses représentants, associés à ceux du gouvernement ; elle écarte donc l'étatisme. L'adhésion est obligatoire. En principe, les responsables locaux, régionaux et nationaux sont élus. En fait, la nécessité de réquisitionner, pour le ravitaillement, des produits agricoles de plus en plus rares, conduisit à une bureaucratie sensiblement alourdie, si bien

(1) L. Salleron, J. Le Roy Ladurie, Dorgères...

que les pouvoirs de l'administration centrale de la Corporation furent renforcés en novembre 1942, et ses responsables nommés par l'Etat. Mais le monde paysan avait ainsi réalisé une unité de fait qui durera bien après la Libération (1).

Cette corporation paysanne n'était d'ailleurs qu'une fraction d'un ensemble qui devait couvrir toute l'économie. Pour les milieux de droite avant la guerre, un système corporatiste avait l'avantage de regrouper des unités économiques trop faibles si elles demeuraient isolées, et d'éviter la mainmise de l'Etat, grâce à une gestion directe par les intéressés. La loi du 16 août 1940 créa ainsi, dans toutes les branches de l'industrie, des *comités d'organisation* pour assurer la reprise de l'économie. Chaque branche élaborait son programme de production, répartissait les matières premières, proposait les prix des produits et les règlements des entreprises, sous le contrôle d'un commissaire du gouvernement. Les comités furent tout naturellement une proie facile pour les grandes entreprises, qui y firent la loi. Les ouvriers ne participaient en aucune façon à la direction ; les petites et moyennes entreprises en étaient également pratiquement écartées. C'était un net renforcement du pouvoir du grand capital. Les Allemands, de même qu'ils avaient vu avec satisfaction la France proclamer sa vocation agricole, se félicitèrent d'avoir en face d'eux des partenaires groupés, par qui il serait plus commode de faire exécuter leurs exigences (2).

Le syndicaliste Belin, nommé ministre du Travail, après avoir dissous les centrales syndicales ouvrières, aurait voulu créer un organisme représentant l'en-

(1) Gordon WRIGHT, *The rural revolution in France*, Stanford, 1964 ; Pierre BARRAL, *Les agrariens français de Méline à Pisani*, Fondation des sciences politiques, 1968.
(2) W. EHRMANN, *La politique du patronat français, 1936-1955*, A. Colin, 1959.

semble des travailleurs, en face du regroupement des comités d'organisation. Mais le Conseil des Ministres se montra hostile à toute apparence de conflit des classes ; aussi bien, les grèves et les lock-out furent interdits et les syndicats ouvriers autorisés seulement à l'échelon local ; ils étaient officiels, et uniques. En définitive, les ouvriers, en vertu de la *Charte du Travail*, qui mit longtemps à voir le jour, en octobre 1941, ne sont représentés aux comités d'organisation que par des « comités sociaux », dont le rôle se limite aux questions strictement professionnelles. Subsistent seulement un paternalisme officieux, qui demande aux patrons de se montrer justes envers leurs ouvriers (1), et quelques mesures sociales : salaire minimum garanti, jardins ouvriers, retraite du vieux travailleur.

Un des paradoxes de Vichy est que, contrairement à sa doctrine, le régime va être contraint, sous l'emprise des circonstances, à accroître la *bureaucratie* et *l'étatisme*. Ainsi les exigences d'une rapide reconstruction, souhaitée par l'occupant, conduisirent à la création d'une institution nouvelle, le « Commissariat général à la Reconstruction », avec des services centraux et régionaux ; en conséquence, la loi du 11 octobre 1940 donna à l'Etat un droit de regard sur les projets d'urbanisme. Une distribution équitable des denrées et produits de toutes sortes, de plus en plus rares, provoqua la création d'un ministère du Ravitaillement, qui fut très vite le plus fourni en personnel et qui s'avéra une demi-réussite, malgré l'extension du marché noir, par les mesures particulières prévues pour les enfants et les travailleurs de force ; pendant quatre ans,

(1) G. LEFRANC, *Les expériences syndicales en France de 1939 à 1950*, Aubier, 1950.

la bouchée de pain, le morceau de viande, la pincée de sel de chaque Français furent mesurés par l'Etat. Il en fut de même pour la lutte contre le chômage, confiée à un Commissariat général ; les mesures de répression contre les ennemis du régime se traduisirent aussi par l'institution de polices et de services spécialisés. Même les mesures de décentralisation — les préfectures régionales et leurs annexes — amenèrent la nomination de nouveaux bureaucrates ; on exagère peu en disant que le fonctionnarisme envahissant est né avec Vichy.

C'est dans le *domaine économique* que les projets d'intervention de l'Etat allèrent le plus loin. L'industriel Lehideux, « délégué à l'équipement national », mit ainsi au point un « plan d'équipement » en dix ans, pour accroître la rationalisation, la modernisation, la concentration des entreprises. Une loi de décembre 1941 autorisa la fermeture des entreprises marginales. Le corporatisme évolue ainsi vers la planification et le dirigisme. Il n'est pas sûr que le maréchal Pétain ait bien compris ce mouvement, lui qui, dans le même temps, continuait à louer les vertus de l'artisanat — il décorera à Vichy un ajusteur qui avait construit une locomotive de ses mains. En fait, tandis que la vieille équipe dirigeante se délecte des évocations d'un passé auquel elle voudrait revenir, des techniciens de 40 ans préparent l'avenir de la France dans une Europe dominée par l'Allemagne. C'est Bichelonne qui, en 1943, ira le plus loin dans ce sens, en accord avec Speer. Le souci de préserver la productivité et la technologie françaises se double ainsi d'une collaboration économique volontaire, inquiétante, dont nous aurons à reparler.

V. — La propagande :
Le mythe Pétain

A partir de 1941, un « secrétariat général à l'Information » assure la mainmise de l'Etat sur tous les moyens d'expression de la pensée ; de nombreux journaux se sabordent, ou sont supprimés par le pouvoir, et une censure sévère surveille ceux qui restent, ainsi que les revues et les livres ; la radio, le cinéma, sont également dirigés, et des délégués régionaux et départementaux assurent la diffusion de la bonne parole. Les autres propagandistes, de la Légion ou de la Jeunesse, sont ainsi encadrés ; des « comités de propagande du maréchal », composés de fidèles volontaires, invitent la population à « penser Pétain ».

Un nombre considérable d'affiches et de tracts inonde la zone libre ; on ne peut pas tourner le bouton de la radio, voir les actualités cinématographiques, ou ouvrir son journal sans qu'il soit question du maréchal et de ses messages. Jamais un tel réseau d'informations dirigées n'avait enserré les Français ; désormais, toute tentative d'expression libre ne pourra être que clandestine.

Un véritable culte du maréchal est ainsi instauré (1). On organise au vieillard des voyages triomphants où la foule se presse pour l'acclamer ; l'effigie de Pétain figure dans tous les lieux publics, mais aussi dans les devantures des commerçants, sur des affiches, des médailles, des pipes, des presse-papiers, etc. Toute une symbolique se mêle à un rituel : le chêne, le képi étoilé, la francisque sont les attributs de ce nouveau roi thaumaturge. Chaque jour, près de 2 000 personnes lui écrivent ; il reçoit les cadeaux les plus divers, touchants souvent, parfois ridicules. Enfants et adultes chantent *Maréchal, nous voilà*. Le plus grand nombre de Français pensent, comme le cardinal Gerlier, que « Pétain, c'est la France et la France c'est Pétain ». Le grand vieillard, dans ce déferlement d'éloges, conserve sa majesté, son calme, sa simplicité. Le seul ennui, c'est qu'il parle mal, et que sa voix chevrotante déçoit.

(1) Cf. notre *Vichy année* 40, Robert Laffont, 1966, p. 116-117. Le 1er mai est proclamé fête nationale ; mais c'est aussi la Saint-Philippe.

Le prestige de ce chef que les Français attendaient ne provient ni de l'élection, ni de la légitimité — le comte de Paris venu s'informer à Vichy sera poliment éconduit — mais monte du fond irrationnel de la conscience collective. La propagande compare Pétain tantôt à un médecin, qui soigne l'âme de la France, tantôt à un guérisseur doté de mystérieux pouvoirs, tantôt tout simplement à Dieu lui-même. On attend de lui le salut, comme d'un sauveur tout-puissant ; on espère de lui la protection, dans des temps difficiles, comme d'un père retrouvé. Il est aussi le sage vieillard qui, mieux que tout autre, sait ce qu'il convient de dire et de faire. Comment, dans ces conditions, ne pas remercier la Providence de l'avoir donné comme guide à la nation ? Comment ne pas le suivre ? Ces messages, cette propagande, n'arrivent toutefois pas en Alsace-Lorraine annexée et passent difficilement la ligne de démarcation. Les Français occupés sont à la fois jaloux de ceux qui vivent en zone libre, et sceptiques quant aux effets de la thaumaturgie ; leur réalité quotidienne rend inutiles ces spéculations. Mais, en zone sud, le flot pétiniste coule à pleins bords ; même ceux qui condamnent la politique suivie, n'osant pas s'en prendre au maréchal, attaquent son « entourage ».

VI. — Un régime policier :
Les parias

Puisque Pétain est tout ensemble la France et la vérité incarnée, toute opposition à sa personne est à la fois une trahison et un sacrilège. Le régime de Vichy réprima ses opposants, réels ou supposés. Certes la police, recrutée sous la République, n'avait pas, au commencement, la dureté des services allemands de répression en zone nord ; le régime se méfiait d'elle ; il la doubla par des polices parallèles — les « Groupes de protection » du colonel Groussard d'abord, qui arrêtèrent Laval le 13 décembre 1940, puis le « Service d'ordre de la Légion », dont les membres juraient de « lutter contre la démocratie, la dissidence gaulliste et la lèpre juive » et, enfin, en janvier 1943, la « Milice » de Darnand, organisée militairement, dotée des pouvoirs les plus étendus, possédant même ses cours martiales, véritable unité de Waffen ss, dont Darnand était d'ailleurs un officier.

L'administration fut épurée — c'est une première épuration, qu'oublient souvent les thuriféraires de Vichy, et à laquelle la seconde épuration de 1944-1945 sera une réponse. Avant même qu'une loi en ait formulé les règles, ministres et préfets avaient procédé à un très large mouvement de suspensions, de mutations, de révocations ; des motifs professionnels sont parfois invoqués mais, le plus souvent, les sanctionnés sont taxés simplement de « propos défaitistes » — défaitistes à l'égard du régime — c'est-à-dire soupçonnés d'hostilité. Robert Aron a ainsi relevé dans le *Journal officiel*, à la fin de 1940, 2 282 révocations de fonctionnaires (1), à raison de 20 révoqués par jour, pendant quatre mois ; certes, la proportion est faible, mais la mesure est souvent injuste, appliquée brutalement — les personnes frappées l'apprennent parfois en lisant leur journal !

Il est vrai qu'une large partie de l'opinion, traumatisée par la défaite, réclamait des sanctions sévères contre les « responsables ». Mais qui était, ou n'était pas, responsable ? Le maréchal allait disant « qu'il fallait poursuivre ceux qui nous avaient mis dans le pétrin » ; le ministre de la Justice, Alibert, voulait les traduire devant une

(1) R. Aron, *Histoire de Vichy*, A. Fayard, 1954, p. 231-237.

44

cour martiale. En définitive, l'acte constitutionnel du 30 juillet institua une « cour suprême de justice ». Le 1er août, elle était convoquée à Riom pour juger les « personnes ayant trahi les devoirs de leur charge dans... le passage de l'état de paix à l'état de guerre ». Ce n'étaient donc pas les « responsables » de l'impréparation militaire de la France qui étaient poursuivis — comment d'ailleurs en exclure Pétain et Weygand ? — mais ceux de la déclaration de guerre, dont Hitler, du même coup, aurait été proclamé innocent ! En fait, le procès intenté à Paul Reynaud, E. Daladier, Léon Blum, au général Gamelin tournera à la confusion des accusateurs — bien que le maréchal ait lui-même condamné les inculpés avant que la Cour se fût prononcée. Il fallut interrompre le procès *sine die* en avril 1942 (1).

Surtout, des catégories entières furent systématiquement frappées, en corps, et devinrent les parias du régime, tels les *francs-maçons*. Pendant plusieurs décennies, « l'Action française » avait dénoncé en eux « le chancre de la France ». Pétain estimait « qu'un Juif n'est jamais responsable de ses origines, un franc-maçon l'est toujours de ses choix ». La loi du 14 août supprima et interdit toutes les sociétés secrètes, en ordonnant la saisie de leurs biens. Les fonctionnaires durent certifier par écrit qu'ils n'étaient pas francs-maçons ; 14 000 noms de dignitaires furent publiés au *Journal officiel*, comme sur une liste d'infamie. Etre franc-maçon ne devint pas un délit, mais condamna à l'exclusion de la fonction publique, sauf reniement. En même temps, un « Service des sociétés secrètes » multiplia les publications et les expositions qui révélaient les

(1) Paul Bastid, *Les grands procès politiques de l'histoire*, A. Fayard, 1962, p. 348-360 ; cf. notre *Le procès de Riom*, Albin Michel, 1979.

« méfaits » de la maçonnerie, tout en la ridiculisant.

Des *communistes* avaient été poursuivis, les parlementaires et les chefs du parti du moins, par le gouvernement Daladier, à partir de septembre 1939, parce qu'ils n'avaient pas voulu condamner le pacte germano-soviétique, et que leur propagande neutraliste était de nature à démoraliser l'opinion du pays en guerre. Mais, pour les dirigeants de Vichy, les communistes, et avec eux des socialistes et des responsables du Front populaire (1), doivent être poursuivis pour délit d'opinion. Ils sont assimilés, en bloc, à la trahison et à la subversion sociale. Les autorités de Vichy sont intervenues en zone nord pour que ne reparaisse pas la presse communiste, et ne soient pas libérés les communistes emprisonnés — à ce moment elles soupçonnaient le parti d'être de connivence avec l'occupant. En zone sud, les communistes sont assignés à résidence, privés de leurs mandats et fonctions, internés, déportés en Algérie où, dans le sud saharien, ils subissent un régime sévère (2).

La répression des communistes devint encore plus dure lorsque, après l'invasion de l'urss, le Parti eut, en bloc, et pas seulement quelques individualistes, rejoint les rangs de *la Résistance* « gaulliste » qu'il avait réprouvée jusque-là. Or l'armistice faisait obligation au gouvernement français de réprimer tout acte hostile à l'occupant. Aussi bien, de nombreux Français libres avaient été déchus de la nationalité française. En France même, l'écoute de la bbc avait été interdite et la délation de ses auditeurs encouragée ; mais les relations de certains

_____

(1) Marx Dormoy, Jean Zay, Victor Basch (président de la Ligue des droits de l'homme), plus Georges Mandel, un « national » pourtant, tous quatre Juifs, furent assassinés sans que leurs meurtriers soient véritablement poursuivis.

(2) J. Fauvet, *Histoire du Parti communiste français*, t. II, A. Fayard, 1965.

dirigeants de Vichy avec quelques membres de la Résistance naissante, bien que des arrestations fussent effectuées, demeuraient ambiguës (1). Or, arrivés en corps à la Résistance, les communistes bouleversèrent ses méthodes en attaquant des soldats allemands, ce qui alarma les autorités d'occupation. Alors, des « sections spéciales » furent créées dans les tribunaux, où des magistrats, « connus pour leur dévouement à l'Etat », durent faire preuve d'une rigueur exceptionnelle. On donna à la loi un effet rétroactif, ce qui permit d'exécuter trois communistes, déjà en prison lorsque avaient eu lieu les attaques pour lesquelles ils étaient exécutés. Bien mieux, contre l'avis du ministre de la Justice Barthélémy, le ministre de l'Intérieur Pucheu demanda que les autorités françaises elles-mêmes, pour marquer leur autorité en zone nord, et aussi pour mieux séparer le bon grain de l'ivraie, choisissent les personnes prises comme otages, et fusillées en cas d'attentat (2). Ainsi des Français désignaient d'autres Français aux balles allemandes.

C'est toutefois à propos des *Juifs* que le comportement des autorités de Vichy est le plus odieux. Il y avait environ 300 000 Juifs en France, pour la plupart assimilés. L'extrême-droite française était antisémite, par xénophobie ; son racisme était culturel : tous ces étrangers qu'accueillait la France, terre d'asile, étaient, selon elle, des ferments de révolution et d'altération des vertus nationales. Le remède préconisé était le *numerus clausus*, c'est-à-dire la limitation du nombre d'étrangers admis à exercer certaines professions. La défaite portait au pouvoir les antisémites français ; mais, désormais,

(1) Le ministre Pucheu rencontrera ainsi, librement, Henri Frenay.
(2) Pucheu sera condamné à mort, et exécuté à Alger, le 20 mars 1944. Cf. général SCHMITT, *Toute la vérité sur le procès Pucheu*, Plon, 1963 et de VILLERET, *L'affaire de la section spéciale*, Fayard, 1973.

leur attitude antijuive cessait d'être une vue de l'esprit pour devenir une politique et un élément des rapports de la France avec l'Allemagne. En 1940, les nazis pensent surtout à débarrasser l'Allemagne des Juifs — ils en expédieront 4 à 5 000 du pays de Bade, subrepticement, en zone libre. L'idée a été lancée de créer un Etat juif à Madagascar. En zone occupée, dès le 30 août, les Allemands signifient aux Juifs tout un ensemble de décisions : insigne spécial, inscription sur des listes. Le 27 septembre, ils promulguent un statut des Juifs, *qui n'est valable que pour la zone occupée* : en particulier, les Juifs doivent être dépossédés de leurs entreprises, qui seront « aryanisées », c'est-à-dire qu'ils seront spoliés. Le gouvernement de Vichy proteste, non contre des mesures qui lèsent les droits légitimes d'une catégorie de Français, mais contre le fait qu'elles aient été prises, en terre française, par les autorités occupantes seules ; l'autorité française, garantie par l'armistice, était ainsi bafouée.

Va alors se livrer, entre l'occupant et le gouvernement de Vichy, une sorte de course-poursuite à qui sera le plus antisémite. Rien n'obligeait Vichy à appliquer, en zone sud, les mesures allemandes ; *les autorités d'occupation ne le lui ont pas demandé. C'est donc de sa propre initiative* que, le 30 octobre, Vichy édicte un statut des Juifs pour la zone sud ; sur certains points, il est moins dur que celui de la zone nord, port de l'étoile jaune par exemple ; il fut aussi appliqué avec une certaine mollesse, ce qui permit à de nombreux Juifs de se camoufler — incontestablement, pour eux, au moins jusqu'en novembre 1942, la zone sud fut un refuge. Mais, sur trois points (1), la législation vichyste

---

(1) J. BILLIG, *Le Commissariat aux questions juives*, Editions du Centre, 3 tomes, 1955-1960.

fut plus dure. D'une part, la définition du Juif, fondée sur la race (1), fut plus large que celle de la zone nord, fondée sur la religion ; d'autre part, les Juifs étrangers furent enfermés dans des camps spéciaux — 40 000 s'y trouvaient à la fin de 1940. Enfin, en quelque sorte sur sa lancée, Vichy ôta la nationalité française aux Juifs d'Algérie, en supprimant le décret Crémieux qui la leur accordait (2).

Puis, apprenant « l'aryanisation » des entreprises juives en zone nord, Vichy craignit que ce fût un subterfuge permettant aux Allemands de se rendre propriétaires, à moindres frais, d'une masse de biens français. Aussi le gouvernement exigea-t-il que les gérants de ces entreprises soient français, ce que l'autorité occupante accepta de bon gré, sa tâche se trouvant de ce fait facilitée : des Français prenaient part à la spoliation d'autres Français. Par la suite, toujours pour affirmer son autorité, pour donner aussi des gages de bonne volonté à l'occupant, Vichy accepta que la police française fût chargée des rafles de Juifs en zone occupée, notamment de la tristement célèbre rafle de 13 000 Juifs dite « du Vél' d'Hiv' » du 16 juillet 1942, qui bouleversa les Parisiens (3). Laval introduisit plus tard l'aryanisation en zone sud (4). Pour les rafles, il semble qu'il ait lutté pas à pas, sacrifiant les Juifs étrangers pour préserver des Juifs français ; il obtint, par mesure d'humanité, que les enfants ne soient pas séparés des parents, ce qui condamna de nombreux enfants aux fours crématoires. Mais, en définitive, il céda.

(1) Est juive toute personne ayant plus de deux parents juifs ; ainsi, a relevé Robert Aron, un prêtre catholique demeurait un Juif si deux de ses ancêtres l'étaient.
(2) Y. DANAN, *La vie politique à Alger de 1940 à 1944*, Paris, 1963.
(3) P. TILLARD, Claude LÉVY, *La rafle du Vél' d'Hiv'*, R. Laffont, 1967.
(4) 39 600 affaires étaient « aryanisées » en 1943, en zone nord.

La comparaison avec d'autres pays n'est certes pas à l'honneur du gouvernement de Vichy. Au Danemark, le roi fit savoir qu'il porterait l'étoile jaune si on l'imposait à ses sujets ; la population aida les Juifs à se cacher, et 6 à 7 000 d'entre eux à se sauver en Suède. En Pologne, aucun Polonais ne se fit complice de la liquidation des ghettos, ni de la destruction par les armes de celui de Varsovie. En Hollande, le nombre des Juifs déportés fut plus élevé qu'en France, car ils étaient presque tous concentrés dans un quartier d'Amsterdam ; mais seuls quelques nazis hollandais participèrent à leur arrestation, et la population, indignée, organisa aussitôt une grève générale de protestation. En France, le Centre de documentation juive contemporaine estime à 86 000 le nombre de Juifs déportés ; la majorité étaient français. Dans la zone occupée par les Italiens, les autorités ennemies s'opposèrent à l'application des lois françaises (1) ; l'Italie fasciste était moins antisémite que la France de Vichy ! Il est clair que, prévenus, les Juifs auraient pu aisément, se cacher parmi les 40 millions de Français ; ils furent, au contraire, obligés de se faire recenser, puis pris par surprise (2). A plusieurs reprises, les autorités allemandes manifestèrent leur gratitude aux autorités françaises, sans l'aide desquelles, dirent-elles, leur tâche aurait été impossible. A son procès, P. Laval a fait valoir qu'il avait bataillé pied à pied (3), et qu'il ignorait que Hitler avait ordonné la « solution finale » du problème juif — le génocide. C'est possible, bien que plus d'un signe révélateur ait sauté aux yeux. En fait, aucune réaction de Vichy n'a été absolument nette ; la question juive n'était que l'aspect le plus dramatique de l'énorme erreur que fut, pour le gouvernement de Vichy, son engagement dans la politique dit de « collaboration ».

VII. — Le régime de Vichy : réaction ou fascisme ?

Les historiens ne sont pas d'accord sur le degré de fascisation du régime de Vichy. Pour René Rémond, par exemple, Vichy était le domaine des conservateurs ; alors que le fascisme se veut révolutionnaire, et propulse dans l'ère industrielle les

(1) L. POLIAKOV, *La condition des Juifs sous l'occupation italienne*, Editions du Centre, 1946.
(2) G. WELLERS, Vichy et les Juifs, *Le Monde juif*, juillet 1976.
(3) Il a obtenu, par exemple, que la nationalité française ne fût pas ôtée à 10 000 Juifs récemment naturalisés.

pays où il s'est installé, les dirigeants de Vichy plaçaient leur société idéale dans le passé, et faisaient des rêves agrestes ; le fascisme bouscule les Eglises alors qu'à Vichy on les vénère ; le fascisme confie les destinées de la nation à des hommes nouveaux, voire des aventuriers, alors que le régime de Vichy a promu des notables respectables et expérimentés. Enfin, le maréchal n'a voulu ni parti unique, ni jeunesse unique, et les intellectuels de Vichy se nourrissent de la pensée, bien française, de Taine, Le Play, Maurras, Proudhon, Péguy. Robert Paxton va plus loin et pense que « la Révolution nationale est plus proche du libéralisme éclairé du XIXᵉ siècle que de la Restauration » (1).

Au contraire, R. Bourderon, après avoir souligné que le fascisme est arrivé partout au pouvoir grâce à la courte échelle des conservateurs, relève les ressemblances du régime de Vichy avec le fascisme ; culte du chef ; triple condamnation du libéralisme, du socialisme et du capitalisme ; suppression des syndicats et interdiction des grèves ; corporatisme et liens avec le grand capital ; antisémitisme et puissance de la police ; direction de la pensée, etc. (2). Vichy prétend réorganiser la société française en intervenant dans tous les secteurs, au nom d'une vision globale, par une profonde réforme des institutions et des mœurs, une radicalisation à laquelle ne pensaient pas les conservateurs français. En fait, Vichy a essayé d'embrigader tous les citoyens, comme les régimes totalitaires, mais avec plus de précautions, dans des organismes para-officiels (la Légion), para-militaires (les Chantiers de la Jeu-

---

(1) R. RÉMOND, *La droite en France*, Aubier, 1963 ; R. PAXTON, *op. cit.*, p. 223 ; mais le libéralisme du XIXᵉ siècle n'était pas xénophobe et Vichy n'est pas libéral.

(2) R. BOURDERON, Le régime de Vichy était-il fasciste ?, *Revue d'histoire de la deuxième guerre mondiale*, juillet 1973.

nesse), para-policiers (la milice). Comme en Italie et en Allemagne, l'Etat français est autoritaire, social et national.

Et si Vichy avait été, à la fois, réactionnaire et fasciste ? Le maréchal n'avait-il pas prévenu les Français que la Révolution nationale s'inspirerait, *en même temps*, du passé national et des expériences étrangères ? Si Pétain, Weygand, Laval, Romier, Moysset, etc., sont trop vieux pour se convertir au fascisme, que dire des Marion, Darquier de Pellepoix, Henriot et surtout Darnand ? Il nous semble qu'il faut distinguer plusieurs phases dans la période vichyste. Au début, parce que le désastre de la France est national et non social, les traditionalistes triomphent, les fascistes vont à Paris. Mais l'entrée de la Wehrmacht en URSS change le sens de la guerre : elle devient idéologique. C'est pourquoi Darlan proposera en février 1942 un plan de fascisation de la France ; c'est pourquoi Laval déclarera souhaiter la victoire de l'Allemagne, par crainte d'une victoire soviétique. Vichy a été la réaction triomphante, puis fascisante.

Chapitre III

LA POLITIQUE DE COLLABORATION

Il nous faut maintenant étudier la partie de la politique de Vichy la plus passionnément discutée : la collaboration avec le vainqueur. Au procès du maréchal, puis dans la vaste littérature pour sa réhabilitation, la « collaboration » a été présentée comme imposée par Hitler ; le Führer aurait été un impitoyable minotaure et le maréchal, avec ses ministres, aurait vaillamment lutté pour réduire ses appétits et protéger les Français. C'est effectivement ainsi que les choses se sont souvent passées, notamment à la délégation d'armistice à Wiesbaden, où les délégués français ont lutté pied à pied, sans grand espoir cependant, et sans grands résultats. Mais le scénario des discussions franco-allemandes a toujours été le même : lorsqu'ils étaient tenus en échec à Wiesbaden, les Allemands portaient la question devant le gouvernement de Vichy et, régulièrement, ils obtenaient satisfaction. Non seulement, nous l'avons vu, parce qu'ils disposaient de moyens de pression tels que toute opposition vichyste aurait été aisément brisée, mais parce que le maréchal et son gouvernement, faute d'avoir pu parvenir à une paix définitive avec le vainqueur, *avaient choisi d'essayer de collaborer avec lui*, pour sortir du carcan de l'armistice. Décision malheureuse, rendue plus funeste encore par l'évolution du conflit mondial, et les échecs du Reich, qui accroissaient ses besoins et, en conséquence, ses exigences. Comportement fondé sur des erreurs de prévision, à court et à long terme (1).

I. — Les prévisions des dirigeants de Vichy

Les dirigeants du nouveau régime étaient tous des hommes âgés ; ils tiraient leurs prévisions sur la deuxième guerre mondiale de leur expérience de la première. Or, entre 1914 et 1918, c'était certes l'armée française qui avait tenu tête aux assauts allemands ; mais elle avait été soutenue par une armée britannique de plus d'un million d'hommes et, jusqu'en 1917, par l'allié russe ; enfin, la France n'avait été sauvée d'une défaite, ou d'une paix blanche, que par l'intervention américaine. Comment se présente la situation en juillet 1940 ? L'Angleterre n'a plus d'armée ; l'URSS est liée à l'Allemagne par le pacte germano-soviétique ; les Etats-Unis sont entravés par leur politique de neutralité et, s'ils possèdent une Flotte puissante, ils n'ont ni armée de terre ni aviation.

Dans ces conditions, n'était-il pas logique de penser que l'Allemagne avait gagné la guerre, et de s'adapter à la situation ainsi créée, si déplaisante fût-elle ? Les dirigeants de Vichy étaient convaincus que la Grande-Bretagne, seule, ne pourrait pas continuer longtemps le combat ; Darlan déclara même le 1er juillet à l'ambassadeur américain Bullitt, que les Anglais crieraient *kapout* dès que les Iles britanniques seraient bombardées (2). Si, d'ailleurs,

(1) Dumoulin de La Barthète, *Le temps des illusions*, Genève, 1946.
(2) *Foreign relations*, 1940, t. II, p. 462-469 ; Darlan ajouta que « les Anglais ne comprenaient que les coups ».

Churchill faisait la folie de prolonger la lutte, l'Angleterre deviendrait désormais la cible des armées allemandes ; après tout, c'était bien son tour. Pendant ce temps, la France, sortie de la guerre, serait préservée. A supposer que les Allemands échouent à vaincre les Anglais, ceux-ci ne seraient jamais capables, à eux seuls, de reprendre pied en Europe, et les Américains jamais prêts à temps pour faire pencher la balance en leur faveur. Il y a donc de fortes chances que la stupide obstination des Anglais leur rapporte de payer les pots cassés. Au pis, la guerre anglo-allemande pourrait s'achever par un match nul, une paix blanche, qui ne changerait rien au fait que l'Europe et la France seraient pour longtemps sous domination allemande.

Il ne restait donc qu'à s'accorder au mieux avec le vainqueur, en utilisant les atouts qu'un armistice, conclu au bon moment, laissait au vaincu. Cet armistice n'était d'ailleurs pas seulement le moindre mal, pensait-on, mais aussi une promesse d'espérance. Pendant qu'Allemagne et Grande-Bretagne s'entr'égorgeront, la France aura le temps de panser ses plaies et, grâce à la Révolution nationale, de corriger les vices dont elle souffrait et qui étaient la cause de sa défaite. Les combattants s'affaiblissant mutuellement, peut-être, à la fin du conflit, serait-elle en mesure de faire à nouveau entendre sa voix, sinon même de jouer un rôle d'arbitre ?

II. — La rupture avec les Anglais

La défaite est mauvaise conseillère pour des alliés. En France, la Grande-Bretagne faisait, fin juin 1940, l'unanimité contre elle (1). De vieux griefs resur-

(1) Charles-Roux, *Cinq mois tragiques aux Affaires étrangères*, Plon, 1949, p. 35-42 ; *Foreign Relations*, 1940, t. I, p. 240-263.

gissaient, d'avoir soutenu l'Allemagne dans l'entre-deux-guerres ou d'être responsable de la capitulation de Munich. Plus récente était l'accusation d'avoir fourni une contribution insuffisante à la guerre commune : « Les Anglais, déclara Pétain à l'ambassadeur américain Bullitt le 4 juin 1940, se battront jusqu'au dernier Français, puis ils feront une paix blanche avec le Reich, sur le dos des Français. » Les souvenirs proches de l'évacuation de Dunkerque, où cinq Anglais avaient été embarqués contre un Français, étaient amers. Elle était d'ailleurs exaspérante cette démocratie britannique, qui faisait preuve d'unité nationale et de combativité, alors que l'exemple français démontrait la fragilité des régimes démocratiques.

La prise par les Anglais des bateaux stationnés dans des ports anglais et l'agression contre la Flotte française au mouillage le 3 juillet à Mers el-Kébir, portèrent cette irritation à l'exaspération. Non convaincus par les promesses que leur avaient faites les Français de ne pas laisser la Flotte tomber aux mains des Allemands, ou persuadés que ceux-ci pourraient s'en emparer, les Anglais aimèrent mieux la détruire (1). Du coup, les relations diplomatiques furent rompues, Gibraltar bombardé, la cession de bases au Maroc consentie un moment aux Etats de l'Axe (2), un renversement des alliances envisagé pour la première fois. Darlan et la marine ne pardonneront jamais aux Anglais ce lâche attentat. D'autant moins que les Anglais faisaient le blocus des côtes de France, coupaient la métropole de ses bases de ravitaillement avec l'empire et l'outre-mer, et condamnaient ainsi un peu plus le pays, en plus des destructions et des prélèvements alle-

(1) P. BELL, Prologue à Mers el-Kébir, *Revue d'histoire de la deuxième guerre mondiale*, janvier 1959.
(2 Sur ce point, voir notre *Vichy, année 40*, p. 267 et sq.

mands, à l'asphyxie économique et à la misère.

En outre, la BBC ne cessait d'attaquer le gouvernement de Vichy, et même le maréchal sacro-saint, par l'intermédiaire du général de Gaulle. Celui-ci avait rallié les territoires d'Océanie, l'Afrique équatoriale et le Cameroun ; il ne laissait pas indifférents colons et soldats de l'empire bien que, par miracle, Dakar ait résisté à un assaut anglo-français libre, le 23 septembre. Les Français libres ne reconnaissent pas l'armistice, acte de naissance du régime de Vichy ; ils stigmatisent l'esprit d'abandon, voire de trahison — ils seront les premiers à prononcer cette accusation — de celui-ci ; ils se posent en conscience exigeante des Français, à un moment où la Résistance clandestine naissante hésite à attaquer le maréchal et à rompre avec lui (1). Bref la France libre, en face de Vichy, c'est un autre pari sur la guerre, c'est une autre France, c'est l'ennemi numéro un. Aussi bien n'y eut-il jamais d'accord, jamais même d'approche sérieuse entre Pétain et de Gaulle pendant toute la durée de la guerre. Reconquérir les colonies dissidentes était, pour Vichy, un devoir pour ressouder l'unité de la nation ; c'était d'ailleurs, pensait-on, une opération exclusivement française. Des pourparlers eurent lieu à Paris, en décembre 1940, auxquels participèrent les trois plus hautes autorités du régime après le maréchal, Laval, Darlan et Huntziger ; des projets furent élaborés et des préparatifs commencés en Afrique. Les dirigeants de Vichy étaient tellement convaincus de l'extrême faiblesse britannique qu'ils minimisaient les risques ; au pis, ce serait un baroud localisé. Ils espéraient ainsi montrer leur bonne volonté aux Allemands, leur rejet de toute velléité de revanche, et obtenir quelques

_____

(1) Cf. notre *Les courants de pensée de la Résistance*, PUF, 1962.

accommodements de la convention d'armistice leur accordant, comme après Mers el-Kébir et Dakar, un armement supplémentaire.

Mais les Anglais soutiennent moins le général de Gaulle qu'on le croit à Vichy. Ce qui les effraie à ce moment, c'est leur isolement ; ce qu'ils désirent, c'est créer un second front dans l'empire français, qui soulagerait l'archipel britannique. Ce second front, Hitler en redoute grandement l'ouverture, qui l'obligerait à disperser ses forces, alors que, dès juillet 1940, il a pris la décision d'attaquer l'URSS. Les Anglais vont multiplier les avances à des dirigeants de Vichy, puisque, semble-t-il, le levier de Gaulle a échoué à soulever l'empire français. Weygand, devenu proconsul en Afrique du Nord, le général Noguès au Maroc, des diplomates français en poste à l'étranger, vont être touchés par lettre, ou par envoyé spécial, parfois par l'intermédiaire des Américains ou des Canadiens. Il est probable que nous ne connaissons qu'une partie de ces avances. Au procès du maréchal Pétain, la défense a présenté certaines de ces tractations comme la preuve que le maréchal avait joué un double jeu — l'importance de la mission à Londres du Pr Rougier fut ainsi démesurément grossie, alors que, en fait, elle n'avait abouti à aucun résultat (1). En réalité, le maréchal rejeta avec hauteur toutes ces avances — sauf si elles procuraient un allégement du blocus et une atténuation des attaques de la BBC contre sa personne. Elles renforcèrent au contraire sa conviction que « les Anglais étaient bien bas », comme il l'écrivit à Weygand après la « mission Rougier », et sa résolution de dépasser l'armistice par un accord avec les Allemands.

III. — La collaboration administrative

La collaboration est un phénomène complexe. Les résistants en subirent la pointe la plus venimeuse, policière et milicienne ; ils la condamnèrent en bloc et, puisque l'Allemagne avait perdu la guerre, ils l'assimilèrent à une trahison, ce qu'elle était devenue en 1944. Mais ce n'est pas ainsi que les dirigeants de Vichy l'envisageaient ; dans bien des cas, ils ne purent pas s'y dérober ; dans d'autres ils y virent

(1) Général SCHMITT, *Les accords secrets franco-britanniques, histoire ou mystification ?*, PUF, 1957.

un moyen de sortir du piège où les avaient enfermés la signature de l'armistice. Il faut ainsi distinguer plusieurs faces de la collaboration : administrative, économique, politique et militaire.

A vrai dire, Vichy ne pouvait pas se soustraire à la collaboration administrative en zone occupée. Elle était inscrite dans la convention d'armistice ; en application d'une convention de La Haye, l'administration française doit exécuter correctement les décisions de l'occupant. Or celui-ci ne reconnaît l'autorité de Vichy que si elle le sert. Il intervient dans les domaines les plus divers — œuvres d'assistance, écoles, censure de films, contrôle de la gestion des municipalités, toutes ses exigences étant assorties de menaces de sanctions, en cas d'exécution non satisfaisante. Une certaine désorganisation entre d'ailleurs dans ses plans (1). Cette emprise était particulièrement fâcheuse pour la justice et la police. D'une part les tribunaux allemands ont dans leur ressort tout ce qui concerne la sécurité de la Wehrmacht ; d'autre part, l'occupant s'insère dans le fonctionnement de la justice française ; il procède à des interventions pour ses protégés, se fait communiquer des dossiers. Il réquisitionne la police et la gendarmerie pour des services purement militaires, et parfois pour des opérations de contrôle ou d'application de sanctions, qui indignent l'opinion. En outre, presse et propagande échappent au gouvernement de Vichy ; l'occupant épure les bibliothèques, multiplie les organismes qui diffusent la culture allemande. Il contrôle les télégrammes venus de Vichy, et ne laisse même pas pénétrer le *Journal officiel*, ce qui empêche le gouvernement de Vichy de faire connaître ses décisions en zone occupée.

_____

(1) Circulaire du D*r* GRAMSCH, du « Plan de quatre ans », le 5 juillet 1940, *Documents on German Foreign Policy*, t. X, p. 118, 128.

Contre cette pression permanente, les dirigeants de Vichy étaient d'autant plus désarmés que leur première prévision, que la guerre serait courte, s'avérait une erreur avec la résistance de l'Angleterre. Ne rien faire équivalait à abandonner toute autorité, et à donner à la population l'impression d'être abandonnée ; l'occupation se prolongeant, la division de la France en zones ne s'aggraverait-elle pas ? Le gouvernement de Vichy choisit d'exécuter lui-même les directives allemandes ; il se réservait ainsi la possibilité de les discuter, peut-être de les amender ; mais il s'exposait aussi à devoir accepter l'inacceptable — pour les arrestations des Juifs par exemple. Cette décision allait au-devant des désirs des Allemands.

IV. — La collaboration économique

En matière économique, l'occupant était aussi pratiquement le maître en zone occupée. Son comportement est entièrement dicté par les besoins de sa guerre. Sur le principe et sur les méthodes, toutes les autorités allemandes, souvent rivales, sont d'accord : il faut exploiter la France au maximum.

Aussi bien les Allemands s'adressent-ils directement aux producteurs, et les fonctionnaires français ne peuvent pas les en empêcher ; ils recrutent de la main-d'œuvre pour leurs services en France, puis pour aller travailler en Allemagne ; ils fixent les salaires et, par leurs commandes, les prix, dont les tarifs de transport. Ils opèrent de nombreux prélèvements de matériel et démontent des usines, sans engager de conversation préalable. Toute une faune de courtiers rafle pour eux les produits au marché noir. Ils colonisent, en Lorraine et dans les Ardennes, des terres soi-disant abandonnées. Et lorsque Vichy essaie de faire entendre sa voix, la réponse vient, brutale : l'armistice donne à l'Allemagne le droit de prendre toutes garanties pour sa guerre à l'Angleterre (1).

(1) En réalité il s'agissait là d'une déclaration unilatérale lue par Keitel à Rethondes.

Surtout, il faut exécuter les clauses financières et économiques de l'armistice qui, à l'application, se révèlent d'une impitoyable dureté. En particulier, le 8 août 1940, l'indemnité d'occupation est fixée à 400 millions de francs par jour — somme énorme qui, constate Huntziger, aurait permis d'entretenir 10 millions de soldats français ! Les Allemands n'en ont pas l'emploi immédiat, et ils accumulent à leur compte spécial à la Banque de France des réserves considérables ; non seulement ils gardent ainsi la possibilité de provoquer une crise inflationniste extrêmement grave, mais ils s'en servent pour acheter la France. Ils prennent des participations majoritaires d'actions dans un grand nombre de sociétés françaises, à commencer par celles existant à l'étranger. Leurs opérations sont facilitées par la fixation, par décision unilatérale, du taux du mark à 20 F, alors que les Français estimaient qu'il en valait au maximum 12 ; les Français possesseurs d'actions se laissent d'autant plus aisément convaincre de les vendre que les Allemands, riches de l'argent français avec lequel ils paient, achètent à des prix supérieurs à ceux de la Bourse. Les plus grandes entreprises françaises sont ainsi en danger : Schneider, Westinghouse, Saint-Gobain, Kulhmann, Peugeot. Les Français protestèrent ; leur délégué à Wiesbaden, qui demandait à son homologue ce que l'Allemagne voulait, s'entendit répondre : « Nous voulons tout. » Le ministère des Finances soumit les ventes de valeurs au contrôle des changes, retarda les cessions par des complications administratives ; il fallut constater que les Français menaient la lutte du pot de terre contre le pot de fer (1).

En principe, la zone sud est hors de cette emprise ; en fait, de nombreux trafiquants la parcourent pour le compte des Allemands ; surtout, coupée de la zone nord, elle est condamnée à dépérir ; elle en reçoit le charbon, le blé, le beurre, la viande. Les Allemands voudraient bien pouvoir l'exploiter elle aussi ; elle produit la bauxite dont ils ont un pressant besoin ; la plupart des usines aéronautiques y ont été transférées. Comme en zone nord, les responsables allemands prirent langue, directement,

(1) P. Arnoult, *Les finances de la France sous l'occupation*, puf, 1951 ; A. Milward, *The new order and the french economy*, Londres, 1970.

avec les producteurs français ; c'est ainsi que, en septembre 1940 déjà, un contrat prévoyait la fourniture au Reich de 3 000 t d'aluminium et de 2 000 t d'alumine par mois. Comment empêcher cette hémorragie de s'étendre ?

V. — La collaboration politique

Les dirigeants de Vichy sont ainsi amenés à se poser une redoutable question : puisque l'armistice n'est pas la fin de la guerre, ne faut-il pas accepter l'inévitable ? La preuve a été faite qu'on ne peut pas empêcher le vainqueur d'accomplir ses quatre volontés et qu'on ne fait que l'irriter en s'opposant à des décisions qu'il finit toujours par imposer. Pourquoi, alors, ne pas faire de bon gré ce qu'il faudra bien finir par faire ? On peut y gagner quelque adoucissement, et un peu plus de considération ; de toute façon une négociation d'ensemble vaudra mieux que des escarmouches en ordre dispersé. Peut-être le Reich accordera-t-il à une France amie ce qu'il refusait à une France hostile ? Les attaques des Anglais, à Mers el-Kébir et à Dakar, ont prouvé que Vichy entendait se défendre contre son allié. La Révolution nationale, le statut des Juifs notamment, sont un commencement d'alignement idéologique sur le vainqueur. Un tel comportement est absolument différent de celui des groupements fascistes de zone nord ; il ne s'agit pas d'une soumission, mais d'une discussion. On espère, à Vichy, sortir de l'application étroite de l'armistice, véritable tunique de Nessus, et engager une grande négociation avec les responsables politiques du Reich, et plus seulement des conversations d'exécution avec les militaires. Or, voilà qu'un interlocuteur compréhensif se profile dans l'ambassadeur du Reich à Paris, Otto Abetz, sincèrement francophile ; par lui, ne remontera-t-on pas jusqu'à Hitler ? L'important est de faire rentrer les prisonniers de guerre, d'alléger les charges financières, d'assouplir la ligne de démarcation et, peut-être même, ayant capté les bonnes grâces du vainqueur, d'assurer à la France une place de choix dans l'Europe allemande.

Cette politique, il est incontestable que Pétain l'a voulue ; il en a revendiqué la paternité et l'entière responsabilité au lendemain de l'entrevue de Montoire, en tenant aux Français « un langage de chef » et en les invitant à le suivre ; il a affirmé plus tard : « c'est moi que l'histoire jugera ». Quelques différences d'interprétation se faisaient jour, cependant, entre les dirigeants de Vichy. Le général Weygand aurait préféré se limiter à une application stricte de l'armistice ; il y perdit toutes ses fonctions (1). Par contre l'amiral Darlan avait laissé entendre à Bullitt, dès le 1er juillet, qu'il verrait très bien la France devenir la province favorite d'une Europe germanisée. Mais c'est Laval qui avait montré la voie ; s'il ne se faisait pas d'illusions sur la dureté des Allemands, au traité de paix, il estimait que c'était à la France, vaincue, de faire les premiers pas ; il va se lier avec Abetz et faire de la collaboration son affaire propre. D'autres ministres — Baudouin, Bouthillier, Romier, Belin — se sont, plus tard, délarés des adversaires de cette politique ; sur le moment, ils l'ont approuvée et appliquée. Il s'agissait donc d'une véritable fuite en avant, sans qu'aucune contrepartie fût assurée, alors que rien n'était connu des intentions de Hitler.

Trois exemples, tirés des relations économiques, montrent à quels résultats ce comportement conduisait. Le 14 novembre 1940, Vichy signa un « accord de compensation », c'est-à-dire un équilibre entre achats et ventes permettant

(1) L'amiral Darlan réussira à le rappeler d'AFN en novembre 1941, en exécution d'un ultimatum allemand.

d'éviter un transfert de devises, à condition que les vendeurs allemands cèdent aux acheteurs français autant de marchandises que les acheteurs allemands en recevront. Or les Allemands achetèrent beaucoup et cédèrent peu ; à Berlin s'accumula un crédit en faveur des Français, sans utilisation possible. Certes, des producteurs français avaient ainsi un débouché, et de nombreux ouvriers français un emploi (1) ; mais l'accord donné par Vichy avait surtout comme conséquence de légaliser l'appauvrissement de la France par son vainqueur.

Deuxième exemple : les ventes d'avions. Dès juillet 1940, Vichy avait donné l'autorisation de construire des avions de transport et d'instruction en zone sud (2), puis, en septembre, des avions de combat non armés — les armer aurait été réarmer la France. Ce faisant, le désir du gouvernement français était de préserver les chances d'une technologie française, de donner aussi du travail aux 250 000 employés de l'industrie aéronautique. Mais, en contrepartie, il lui fallut accepter une supervision et un contrôle allemands ; aucun avion ne pouvait être livré aux troupes françaises ; par contre, en deux ans, seront livrés à l'Allemagne plus de 2 000 avions, 10 000 moteurs, près de 6 000 hélices ; environ 6 % de la production allemande totale ; c'est-à-dire que la France permettait à l'Allemagne de retarder sa défaite, et de prolonger l'occupation !

Le troisième exemple est l'opération immobilière du vieux port de Marseille. Les conditions dans lesquelles l'affaire fut décidée demeurent obscures. Mais, en zone sud, les dirigeants de Vichy auraient pu procéder seuls à son exécution ; ils auraient pu aussi en laisser l'entière responsabilité à l'occupant. A Vichy on aima mieux « collaborer » ; ainsi policiers et gendarmes français prirent part à l'opération, sous les ordres des Allemands ; leur présence a peut-être sauvé quelques personnes, comme lors de la dramatique « rafle du Vél' d'Hiv' » - mais l'action fut mal préparée, brutale, probablement malhonnête. En définitive, 25 000 personnes, qui n'étaient pas toutes des truands, furent spoliées et expulsées, par des Français, au nom de la souveraineté de Vichy. A tout coup, la « collaboration » avait d'abord pour effet de faciliter l'application des décisions allemandes (3).

(1) D'après Bouthillier, les industries françaises estimaient que, sans accord avec l'Allemagne, l'industrie française aurait été anéantie.
(2) KEMME, Les fabrications d'avions en France de 1940 à 1942, Revue d'histoire de la deuxième guerre mondiale, avril 1977.
(3) J. DELARUE, Trafics et crimes sous l'occupation, Fayard, 1968, p. 330.

VI. — Vers une collaboration militaire ?

Ainsi — Gœring en avait prévenu Laval — Hitler ne voulut consentir aucun abandon sur aucun point quelconque de ses positions politiques, financières ou économiques ; les Français sont toujours contraints de céder, même lorsqu'ils discutent en bataillant avec ténacité. Jusqu'où iront-ils ? Les attaques des Anglais, la popularité croissante du général de Gaulle en France et dans l'Empire les obligeaient à se poser la question. Ces attaques leur permettaient d'ailleurs d'obtenir des puissances de l'Axe quelques menues concessions : démobilisation de quelques milliers de spécialistes de la marine, léger accroissement des effectifs militaires dans l'Empire, réarmement de navires de guerre. Pourquoi alors ne pas faire un pas de plus et se déclarer carrément contre les Anglais ? Le renversement des alliances ne pourrait que parachever, à l'avantage de la France, son insertion dans l'économie d'une Europe germanisée, à laquelle elle était condamnée — il fallait bien s'y résigner, pensait-on.

Mais, sur ce point, les dirigeants de Vichy sont divisés. Le général Weygand est d'abord un soldat discipliné, il exécutera ce que le maréchal décidera ; mais il est bien décidé — et il le prouvera — à ne pas attaquer les Anglais, tout en se défendant contre leurs agressions, mais sans aide allemande, car il ne veut pas amener Italiens et Allemands dans l'Empire. L'amiral Darlan est, depuis toujours, mais surtout depuis Mers el-Kébir, le plus anglophobe de tous ; cependant, le 8 novembre 1940, dans une note à Pétain, il soulignait que « une rupture avec les Anglais nous ferait perdre les Antilles, Saint-Pierre-et-Miquelon, Madagascar, la Réunion, sans pouvoir porter de coups sensibles à l'Angleterre » ; une fois au pouvoir, il se montrera plus agressif et c'est lui qui conduira avec les Allemands les pourparlers qui iront le plus loin dans la voie de la collaboration militaire — au Levant et en Tunisie notamment ; puis, se trouvant inopinément à Alger en novembre 1942, il passera au camp allié. Pierre Laval n'a pas d'autorité ni de compétence dans les questions militaires ; l'aboutissement de sa politique aurait été, normalement, la collaboration militaire ; cependant, il demeure prudent ; il sait qu'une rupture rendrait difficiles les relations avec les Américains, sur l'appui de qui il compte beaucoup au moment de la paix (1). En définitive, la décision dépend de Pétain ; dans un message aux Français, il s'est déclaré prêt à entrer « dans la collaboration dans tous les domaines », formule inquiétante (2) ; il a par la suite rassuré les Américains en affirmant qu'il ne pensait qu'à une collaboration économique (3) ; ce vieux militaire n'aimait pas la guerre ; il n'a pas sorti la France d'une guerre contre l'Allemagne pour la replonger dans une autre contre l'Angleterre, ce qui compromettrait tous les avantages que la France, selon lui, peut retirer de la conclusion de l'armistice.

En définitive, la collaboration militaire ne joua que contre l'URSS, et elle fut limitée. La « Légion des volontaires français contre le bolchevisme » avait été créée à l'instigation des groupements de collaborateurs de zone nord ; le gouvernement de Vichy, après avoir couvert l'opération, essaya de récupérer la Légion en la transformant en « Légion tricolore » ; sans grand succès, les Allemands s'y opposant. La « phalange africaine », engagée contre les Anglo-Américains en Tunisie, ne groupera que 300 hommes. Le gros effort porta sur la constitution d'unités françaises de « Waffen ss », approuvée par P. Laval en juillet 1943. Ce sera en 1944 la division « Charlemagne » qui combattra contre l'Armée rouge, mais qui ne comptera jamais plus de 8 000 hommes (4).

On peut donc caractériser la politique étrangère de Vichy, du moins jusqu'en novembre 1942, par une volonté d'apparente neutralité entre les deux

(1) Cependant en novembre 1940, dans ses conversations avec le général Warlimont, il parlera de « passer à l'attaque, s'il le faut » ; mais il s'agissait de reconquérir le Tchad, et de prévenir une riposte britannique.
(2) BAUDOUIN, *Neuf mois au gouvernement*, La Table ronde, 1948. p. 373 ; *Documents on German Foreign Policy*, t. XI, p. 245-259,
(3) *Foreign relations*, 1940, II, p. 412.
(4) A. MERGLEN, Soldats français sous uniformes allemands, in *Revue d'histoire de la deuxième guerre mondiale*, octobre 1977.

blocs qui s'affrontent. Il reste cependant que tous les dirigeants sont d'accord pour reconquérir les colonies dissidentes, alors que l'Angleterre a clairement fait savoir qu'elle ne l'admettrait pas. Il reste que tous sont convaincus, du moins jusqu'au milieu de 1942, que l'Allemagne gagnera la guerre et que les pertes de territoires que subira la France pourraient être compensées par des gains obtenus aux dépens de l'Angleterre — on pense au Nigeria. Il était possible cependant que l'Allemagne, maîtresse du continent européen, laissât la France courir les océans, hypothèse qui ravit Darlan, elle y rencontrera alors inévitablement à nouveau la Grande-Bretagne comme adversaire. A plusieurs reprises, le gouvernement de Vichy ira à la limite du conflit ouvert avec son ancien allié ; qu'aurait-il fait si Hitler lui avait demandé d'entrer en guerre avec l'Angleterre ? Aurait-il pu ne pas obtempérer ? Mais les Allemands ne recherchèrent une collaboration militaire que dans des conditions bien déterminées, ils ne voulaient rien devoir aux Français.

VII. — Hitler et la collaboration

Hitler s'est bien gardé, en effet, de formuler une pareille exigence. Mussolini ne cessait de le mettre en garde contre les Français. dont il dénonçait la duplicité et les arrière-pensées ; « vous verrez, confiait-il à Ciano, qu'ils finiront par croire qu'ils ont gagné la guerre ». C'est à la France vaincue que le Duce voulait présenter la forte note à payer ; il voyait bien que la réussite de la politique de collaboration signifierait l'abandon, au moins partiel, de ses revendications. C'était du côté italien que Vichy rencontrait le plus de difficultés pour obtenir quelque atténuation des clauses militaires de l'armistice. Or Hitler a toujours affirmé à son partenaire qu'il obtiendrait satisfaction, quoi qu'il arrivât. L'idée, caressée à Vichy, que la France pourrait supplanter l'Italie dans les grâces de l'Allemagne était tout à fait irréelle.

Surtout, Hitler estimait qu'il n'avait besoin d'aucune aide française ; certes, la reconnaissance du régime de Vichy était une exception dans sa politique de domination de l'Europe, et elle l'obligeait à mettre un peu de forme dans la présentation de ses exigences — de là les discussions à Wiesbaden, les rencontres au sommet, la mission donnée à Abetz ; mais le Führer ne ménageait la France que pour éviter que les forces qui lui restent passent du côté britannique — flotte et Empire ; c'est pourquoi il se gardait bien de dévoiler ses objectifs de guerre, d'autant plus qu'il était, au Maroc, en rivalité avec Franco et même, dans une certaine mesure, avec Mussolini. Mais, pour lui, la France ne compte plus ; elle a déclaré la guerre, elle l'a perdue, elle doit payer chèrement sa défaite ; dans son esprit, il n'y a de place dans l'Europe qu'il veut construire que pour une France vassale, puissance de second ordre. Il n'a d'ailleurs aucune confiance dans les Français, sauf en Pétain et, à un degré moindre, en Darlan ; mais il méprise Pierre Laval, comme tous les politiciens ; il pense que l'armée française rêve d'une revanche, et il ne veut pas lui donner les moyens de la préparer. Il estime que, loin de lui fournir une aide consistante, une collaboration militaire française créerait en Afrique un autre front, dont il ne veut pas, surtout après s'être enfoncé en URSS — la Grande-Bretagne y triompherait aisément. Surtout, il n'a pas besoin d'ouvrir avec la France de nouvelles négociations ; l'application de l'armistice lui suffit pour obtenir tout ce dont il a besoin, et pour que, *volens nolens*, tout ce qui reste à Vichy de force et de richesse soit mis à sa disposition. Pourquoi alors, changer de statut ?

On peut, en effet, se demander si, en dépit de la volonté du maréchal, la France de Vichy, même avant novembre 1942, conservait quoi que ce soit d'une réelle neutralité (1). N'a-t-elle pas été obligée de laisser, à la disposition du vainqueur, l'administration de la zone occupée, et de tolérer ses ingérences dans celle qui ne l'est pas encore ? L'Alsace-Lorraine n'a-t-elle pas été annexée et la zone interdite soustraite à la souveraineté française ? Les « forces de l'ordre » font la chasse aux ennemis de l'occupant, communistes et gaullistes ; elles procèdent aux arrestations et aux déportations des Juifs, pour faciliter la tâche des Allemands ; le régime de Vichy a livré, en application de l'armistice, après avoir élevé une protestation sans lendemain, les Allemands antinazis émigrés en France ; il a interné les républicains espagnols, auxquels les autorités occupantes s'intéressaient beaucoup. Toute l'économie française est utilisée à la satisfaction des besoins allemands dans la guerre d'usure qui s'est instaurée après l'invasion de l'URSS ; en 1944, la ponction sera de 6 à 8 millions de quintaux de céréales, de 2 à 3 millions d'hectolitres de vin, de 135 000 à 170 000 t de viande (2) ; le quart du parc ferroviaire est parti en Allemagne ; progressivement, plus d'un million d'ouvriers iront y travailler avec plus d'un million de prisonniers, et il n'y a pas de limite au nombre de ceux qui travaillent pour l'occupant en France. La propagande française diffuse la propagande de l'occupant. Les Allemands ont acquis pour 120 milliards de marks de participation dans des affaires françaises, avec

(1) H. MICHEL, Le régime de Vichy était-il neutre ?, in Les Etats Neutres et la seconde guerre mondiale, Neuchatel, 1985.
(2) PAXTON, op. cit., p. 145.

de l'argent français. Ce qui reste d'arsenaux français fabrique, construit ou répare des engins de guerre allemands. Enfin, lorsque les troupes françaises sont engagées, elles le sont uniquement contre des Anglais ou les Français libres (1). Une réelle neutralité exigerait que des avantages analogues soient accordés aux Alliés ; on en est loin ; alors, puisque la France est définitivement à sa merci, et à son service, pourquoi Hitler « collaborerait-il » avec elle ?

VIII. — L'échec de la politique de collaboration

Aussi bien les Français n'obtiendront aucun des allégements de la convention d'armistice qu'ils demandent. Le rapatriement de quelques prisonniers de guerre, âgés ou malades, sera compensé au décuplé par le départ en Allemagne d'ouvriers spécialisés ou de jeunes travailleurs, ou par l'incitation faite, de Vichy, aux prisonniers demeurés dans le Reich, de travailler pour leur vainqueur. Le taux du mark ne sera pas abaissé, et l'indemnité quotidienne d'occupation, allégée un moment à 300 millions de francs en juin 1941, grimpera à 500 millions après l'occupation de la zone sud — sous prétexte que c'est désormais toute la France que l'Allemagne doit protéger contre les attaques britanniques. L'acheminement de produits vers le Reich ira grandissant, à mesure que la guerre en URSS accroîtra les besoins allemands. Quand la ligne de démarcation s'entrouvre, c'est pour que la zone sud s'intègre mieux dans l'exploitation allemande. La collaboration, écrivait le représentant de l'Italie à Vichy, « est celle du cheval et du cavalier ». Lorsque les Allemands emploient le mot, c'est pour amadouer

(1) A Dakar, au Levant, en Afrique du Nord, à Madagascar.

les Français, faire miroiter des promesses indéterminées pour l'après-guerre, et obtenir de bonne grâce ce qu'ils auraient eu du mal à se procurer tout seuls. Ce qu'attendaient les Allemands des Français, on peut le mesurer par le sort que leur réservait Abetz, le plus francophile des occupants : division de la France en provinces, avec droit de regard allemand sur les nominations des gouverneurs ; prestige culturel français aboli au profit du Reich ; économie purement rurale avec intégration totale à l'Allemagne (1). Après l'occupation de la zone sud, quand Vichy aura perdu les quelques atouts que Hitler redoutait de voir utiliser contre lui, le masque tombera ; ce n'est plus de discussions, même conclues par des diktats, qu'il sera question, mais de soumission totale et immédiate.

Les dirigeants de Vichy s'étaient engagés dans cette politique parce que, à défaut d'une rupture qui aurait été un reniement d'eux-mêmes, ils avaient mesuré que l'armistice et la poursuite de la guerre les mettaient à la discrétion du Reich. Leur comportement a été tout à fait différent à l'égard des deux autres puissances de l'Axe, le Japon et l'Italie. Ils n'avaient accepté l'entrée des Japonais en Indochine que faute de moyens de l'empêcher ; un des buts de la collaboration avec l'Allemagne était aussi d'obtenir l'appui de celle-ci contre le Japon ; tout en ne dissimulant pas leur désir que l'Indochine demeurât française, les Allemands n'entreprirent rien contre leur allié oriental. L'amiral Decoux rusa de son mieux avec celui-ci, sans pouvoir empêcher sa mainmise progressive sur l'Indochine, devenue totale par le coup de force du 9 mars 1945 (2).

A l'égard de l'Italie, le plus faible des trois

(1) *Documents on German Foreign policy*, t. XI, p. 483-492, 598-606.
(2) Amiral Decoux, *A la barre de l'Indochine*, Plon, 1949.

adversaires il est vrai, le comportement de Vichy fut ferme et digne (1). Le maréchal Pétain avait déclaré, en annonçant l'armistice que « la guerre avait déjà été gagnée par l'Allemagne lorsque l'Italie était intervenue ». On ne démordra pas à Vichy de ce postulat que, n'ayant pas été battue par l'Italie, la France ne lui devait rien. L'occupant italien essaie bien d'imiter l'allemand dans les territoires réduits qu'il occupe, ou les régions qu'il contrôle ; mais il ne possède aucun des imparables moyens de pression de son partenaire. Les populations occupées se rient d'ailleurs ouvertement de leurs occupants, surtout lorsque l'armée italienne s'enlise en Grèce ou bat en retraite en Libye. Lorsqu'ils cèdent aux pressions allemandes, pour une utilisation de Bizerte par exemple, les Français refusent toute participation italienne. Laval lui-même, le plus italophile des Français avant la guerre, s'abstient de toute démarche à Rome, et la seule rencontre au sommet, entre Darlan et Ciano à Turin, en décembre 1941, n'aboutira à rien. Par la suite, la France réoccupera avec éclat les zones occupées par l'Italie, après la capitulation de celle-ci en septembre 1943, et refusera de reconnaître la République de Salô.

L'échec de la politique de collaboration compromet le succès de la Révolution nationale, dont un des aspects est désormais celui d'une sévère économie de guerre... pour le roi de Prusse. La Révolution nationale avait peut-être un rôle à jouer dans la mesure où, répudiant un passé désastreux, dont les Français ne voulaient plus, et dont personne en tout cas, même dans la Résistance, ne prenait la défense, elle aurait conféré au gouvernement fran-

(1) Cf. notre « Les relations franco-italiennes, juin 1940 - septembre 1943 », in *La guerre en Méditerranée*, CNRS, 1972.

çais des moyens d'action plus puissants, en regroupant les Français derrière le maréchal, unanimement accepté et vénéré, en renforçant les structures de l'Etat. Or, à bien des égards, elle semblait seulement destinée à mettre la France à l'heure de l'Allemagne — la condition des Juifs en était la preuve dramatique. Par son côté répressif, elle aggravait les divisions entre Français, et elle faisait le jeu de l'occupant. Si ses promoteurs avaient eu quelque espoir d'amadouer celui-ci en lançant les réformes, ils s'étaient bien trompés ; Hitler s'en désintéressait totalement, sauf à s'inquiéter de tout ce qui ressemblait à une ébauche de désir de revanche — l'Armée de l'armistice, les Chantiers de la Jeunesse.

La politique de collaboration, nullement imposée par Hitler, ni même désirée par lui, conduisait à l'acceptation de la défaite, à la sujétion au vainqueur et, pratiquement, à l'inaction. Aucune des armes que l'armistice avait laissées à la France ne sera, de ce fait, employée contre lui ; toutes seront perdues, sans gloire et sans profit. Malgré quelques sursauts, quelques combats d'arrière-garde, les Français cédaient pour le présent, en espérant que leur bonne volonté serait récompensée dans l'Europe allemande d'après-guerre — au ciel, en somme (1).

La politique de Vichy est ainsi une suite ininterrompue de désillusions et d'échecs. Elle n'améliore en rien le sort des Français ; il n'est pas sûr qu'elle leur épargne un traitement plus rigoureux. S'expliquant en son commencement, en pleine déroute, dans la perspective d'une guerre courte, conclue par la défaite britannique, elle s'avère erronée lorsque l'URSS et les Etats-Unis sont entrés en

(1) L'historien allemand E. JÄCKEL écrit (*La France dans l'Europe de Hitler*, A. Fayard, 1968, p. 281) : « On laissait subsister le régime de Vichy parce qu'il épargnait de la peine aux services allemands. »

lice et que la Wehrmacht recule un peu partout. On comprend mal alors que les dirigeants de Vichy n'aient pas essayé d'en changer. Mais, à mesure qu'elle ne s'adapte plus aux événements, elle est de moins en moins acceptée par le peuple français. Désorientés au début, prêts à faire confiance au Sauveur que la Providence leur a envoyé, les Français vont se séparer de lui, et s'opposer à sa politique quand ils constateront que rien n'est sauvé, mais que seules les victoires des Alliés, s'ils les aident à s'accomplir, sont porteuses de promesses de leur libération.

Chapitre IV

L'ÉVOLUTION DU RÉGIME
DE VICHY

André Siegfried distinguait le « Vichy de Pétain » du « Vichy de Laval » (1). Cette division exprimait une opinion largement répandue à la fin du conflit, qui faisait de Laval le bouc émissaire des « erreurs » de Vichy ; elle était aussi nettement « franco-centriste ». En fait le régime de Vichy était trop faible pour déterminer lui-même son orientation ; il était emporté par le tourbillon du conflit mondial. La date capitale pour lui est celle de novembre 1942, du débarquement américain en AFN, de l'occupation de la zone sud, de la sécession de l'Empire et du sabordage de la flotte ; avant, il détenait quelques bonnes cartes dans son jeu ; après, il est entièrement à la merci de l'occupant. Dans la première période, qui est celle d'une relative autonomie, on peut, croyons-nous, distinguer deux phases : celle des *illusions* et de la rapide *désillusion*, qui est aussi celle du couple Pétain-Laval, et qui s'achève avec le terrible hiver de 1940 ; puis la phase de l'*adaptation* à une implacable réalité avec, à la barre, l'amiral Darlan d'abord, Pierre Laval ensuite. A partir de 1943 commence l'ère de la *soumission*, le

(1) A. SIEGFRIED, *De la IIIe à la IVe République*, Grasset, 1957.

dos au mur et, avec juin 1944, celle de la *chute*, catastrophique. Rarement la roche tarpéienne aura été aussi proche du Capitole.

I. — Illusions et désillusion
(juillet-décembre 1940) (1)

Les semaines qui suivirent l'armistice furent marquées par une certaine euphorie ; la guerre semblait finie ; si la France était destinée à servir de tremplin aux assauts allemands contre l'Angleterre, celle-ci aurait, de l'avis de tous, « bientôt le cou tordu comme un poulet », Weygand l'avait prédit. Dans l'Europe occupée, la France semblait bénéficier d'un sort de faveur, et les Belges l'enviaient ; Mussolini n'avait rien obtenu ; les Américains se penchaient avec sollicitude sur le berceau de la France nouvelle. Certes, les attaques anglaises et gaullistes avaient été une fort désagréable surprise ; mais, pour l'essentiel, l'Empire s'était révélé fidèle. Quelques-uns se prenaient à regretter que l'armistice n'ait pas été demandé plus tôt ; à Vichy, on parlait de 1940 comme de « l'an premier de la renaissance ».

Effectivement, en zone « libre », la population bénit le maréchal de l'avoir préservée de l'occupant ; l'unanimité est presque totale pour le suivre ; le premier ministère ressemble d'ailleurs à un cabinet d'union nationale. L'appel du général de Gaulle, le 18 juin, n'a pratiquement pas été entendu ; les premiers résistants, une poignée, s'ils réprouvent l'armistice, se gardent bien d'attaquer le maréchal (2). Un esprit de revanche inspire d'ailleurs l'armée de l'armistice, qui camoufle des armes et prépare une mobilisation clandestine, tandis que

(1) Cf. notre *Vichy, année 40*, R. Laffont, 1966.
(2) Cf. notre *Histoire de la Résistance française*, PUF, 1951.

le général Weygand augmente de son mieux les moyens de combat en Afrique du Nord et dans l'Empire. Curieusement, alors que, en juin, l'Empire n'avait pas été jugé capable de servir de dernier bastion, il devient porteur de toutes les espérances de l'avenir. Ce n'est pas lui, pense-t-on, que menacent les revendications allemandes. Les services spéciaux des forces armées arrêtent des agents allemands infiltrés en zone sud, et créent en zone nord des antennes pour espionner l'ennemi — certaines deviendront par la suite des réseaux de résistance.

Deux hommes mènent la barque : Pétain et Laval. Malgré leur antinomie visible, l'alliance de ces deux personnalités a un poids historique considérable, car elle réalise le lien entre le passé acceptable et l'avenir souhaité. Après avoir décliné d'entrer dans le premier gouvernement le 16 juin, parce que A. Lebrun lui avait refusé le ministère des Affaires étrangères, Laval était devenu ministre d'Etat et vice-président du Conseil, le 23 juin ; il n'avait aucune responsabilité dans la signature de l'armistice, pas plus que, antérieurement, dans la défaite, et il lui arrivera de le rappeler. C'est lui qui, au nom du maréchal, a fait voter par l'Assemblée nationale les pleins pouvoirs à celui-ci ; pour l'instant, l'entente entre les deux hommes paraît sans faille ; c'est d'un commun accord qu'ils vont prendre les deux décisions capitales du régime : Révolution nationale et collaboration ; aussi bien, le 12 juillet, le maréchal fait-il de Laval son héritier, et le charge-t-il des relations avec la puissance occupante, par-dessus la tête du ministre des Affaires étrangères, P. Baudouin.

Cependant, la Révolution nationale est l'œuvre propre du maréchal — Laval s'en désintéresse et, en privé, ne cache pas son scepticisme à son égard. Les réformes sont effectuées de bon train : loi francisant les administrations et création des Chantiers de Jeunesse en juillet ; fondation des comités d'organisation et de la Légion des Combattants, et mesures contre les francs-maçons en août ; institution des commissions administratives et statut des Juifs en octobre ; annonce de la corporation paysanne en décembre. Ces mesures sont présentées à la fois comme une renaissance et comme une expiation. Un des caractères propres au nouveau régime est en effet son acte permanent de contrition. Le maréchal donne l'exemple : tous les matins, dit-il, il se rappelle que la France a été battue et que la défaite était due à l'effondrement des mœurs et à la décadence sociale. Il est significatif de l'état de l'opinion que de grands écrivains comme P. Claudel, Paul Valéry, François Mauriac, et même André Gide, procèdent aussi à de l'auto-flagellation. Gide, le Gide des « actes gratuits », ne déplore-t-il pas « la décomposition de la France... la liberté excessive » ? (1).

Très vite, la désillusion accompagna le repentir. Si l'occupant avait eu besoin d'un peu de temps pour mettre au point ses organismes et ses méthodes, la brutalité avec laquelle il comptait appliquer la convention d'armistice apparut vite dans toute son évidence : refus de rendre les prisonniers, fermeture de la ligne de démarcation, annexion de l'Alsace-Lorraine, imposition d'une ruineuse indemnité d'occupation, appui aux dissidents de la zone nord. Tout ce que la France a préservé par l'armistice, tout ce qu'elle est en train de gagner, croit-on, par la Révolution nationale, risque ainsi d'être perdu. Une seule voie semble s'ouvrir, et la résistance française aux attaques anglaises la dégage, c'est un dépassement de l'armistice par une coopération avec les Allemands, qui ne serait plus celle de vainqueur à vaincu. Par-dessus les militaires allemands, il faut en appeler aux politiques et, si possible, à Hitler. Les mois d'août et de septembre sont ainsi marqués par une course à la recherche d'un interlocuteur valable : Huntziger le déclare

(1) André GIDE, *Journal* La Pléiade, 25 et 26 juin 1940.

à la délégation d'armistice à Wiesbaden ; Pétain envoie l'aviateur Fonck rencontrer Gœring (1). C'est Laval qui sera le vainqueur de la course, car il parvient à s'assurer de bonnes relations avec O. Abetz, l'ambassadeur du Reich à Paris, et qu'il trouve en celui-ci un interlocuteur complaisant.

La recherche de la collaboration est une décision collective de Vichy, mais Laval recevra le monopole de sa réalisation. Or, le 23 octobre, chance inespérée, Laval est conduit par Abetz auprès de Hitler à Montoire, et le surlendemain 25 le Führer rencontre au même endroit Pétain et Laval. L'entrevue de Montoire, qui a fait couler tant d'encre et de salive, est le type même du faux grand événement historique ; mais elle montre bien le profond malentendu franco-allemand (2). Les Français y sont allés avec l'espoir que, leur bonne foi et leur bonne volonté reconnues, une ère nouvelle, faite de compréhension mutuelle, s'ouvrirait dans les relations franco-allemandes. Hitler est venu parce qu'il pense alors à une grande opération vers Suez, qui suppose une coopération hispano-franco-italienne ; il abandonnera d'autant plus aisément ce projet que, désireux avant tout d'attaquer l'URSS, il n'y tenait guère. D'autre part, en agressant la Grèce le même jour, Mussolini a déplacé la « carte de la guerre » en Europe centrale et orientale. Par la suite, après que Pétain aura déclaré solennellement qu'il « entrait dans la voie de la collaboration », les Français s'obstineront à demander l'application de « l'esprit de Montoire ». Hitler lui-même n'y pensera plus, et les autorités allemandes interpréteront l'entrevue

(1) *Documents on German Foreign Policy*, t. XI, p. 342-344, 390. En dehors du gouvernement, G. Bonnet, Flandin, Marquet effectuent des démarches du même ordre — le dernier s'adresse même aux ss.
(2) *Ibid.*, t. XI, p. 385-392.

seulement comme obligeant les Français — puis-qu'ils veulent « collaborer » — à appliquer scrupu-leusement, sans réserve ni restriction, les clauses d'un armistice qui ruine le pays.

Laval, devenu ministre des Affaires étrangères, a la responsabilité des négociations pour l'appli-cation de l'entrevue. Mais toutes ses démarches échouent (1). En vain, le gouvernement français essaie-t-il d'impressionner l'occupant en suspendant le paiement de l'indemnité d'occupation ; la menace allemande d'occuper toute la France met vite fin à cette velléité d'opposition. Ce faisant, P. Laval, tout à sa grande affaire, désireux sans doute de masquer ses échecs, ne tient que très peu compte, dans ses pourparlers avec les Allemands, de ses collègues de Vichy, et même du maréchal. Toute l'antinomie entre les deux hommes, tout ce qui les sépare et les oppose, éclate lors de la crise du 13 dé-cembre, où Pétain renvoie Laval et le met même un temps en état d'arrestation. Après la guerre, plusieurs ministres de Vichy ont écrit que ce renvoi signifiait un terme à la politique de collaboration, dont eux-mêmes n'auraient pas voulu (2). En fait, ils y avaient joué leur rôle, comme les autres ; Pétain s'était empressé d'assurer Hitler que le chan-gement d'équipe n'avait pas de sens politique et Darlan, envoyé par lui rencontrer Hitler près de Beauvais, le 25 décembre 1940, « supplia le Führer de continuer à collaborer avec la France ».

En réalité, l'Allemagne n'accorde rien à la France, parce qu'elle ne peut rien lui donner. Le voile qui couvrait la misère française se déchire brutalement lorsque l'hiver approche, un hiver terrible. En septembre, il a fallu réduire à 100 g la ration hebdomadaire de matières grasses, et à 360 g celle

(1) Le lendemain même de l'entrevue, commencent les expulsions des Lorrains, dont Vichy n'a pas été prévenu.
(2) BOUTHILLIER, *Le drame de Vichy*, I, p. 216-217.

de viande, avec 25 % d'os ; la carte de lait est entrée en vigueur le 13 octobre ; chaque foyer reçoit 150 kg de charbon pour l'hiver. Les magasins se sont vidés ; de nombreux produits ne peuvent plus être acquis qu'au marché parallèle, à des prix élevés, et les salaires ont été bloqués ; il arrive que les pommes de terre de semences soient déterrées pour être mangées. Les queues s'allongent devant les boutiques ; les médecins craignent des épidémies, alors qu'apparaissent des maladies causées par des carences alimentaires ; l'absentéisme s'accroît dans la fonction publique comme dans les usines (1). Certes, les bibliothèques, parce qu'elles sont chauffées, reçoivent plus de lecteurs, et la vente des livres augmente en raison des longues nuits... Mais les Français, affamés et transis, se laissent mal prendre à la glu des bonnes paroles. Leur colère, qui s'exerçait jusque-là contre les fauteurs de la défaite, se retourne contre l'occupant et contre Vichy ; en zone nord, les incidents se multiplient avec les troupes d'occupation ; en zone sud, on commence à brocarder le maréchal. C'est le temps de la désillusion.

II. — Le temps de l'adaptation.
Le règne de Darlan
(janvier 1940 - avril 1942)

Abetz avait considéré le renvoi de Laval comme une offense personnelle, mais les autorités de Berlin s'en étaient désintéressées et elles ne feront rien pour imposer le retour de Laval au pouvoir ; après un court passage de Flandin, qui n'obtint pas leur confiance (2), elles acceptèrent — Abetz en premier (3) — que Darlan chaussât les bottes de Laval. L'amiral cumula les fonctions de vice-président du Conseil des Ministres, ministre des Affaires étrangères, ministre de l'Intérieur et ministre de l'Information. Il était en outre le dauphin du maréchal. Surtout, il continuait à commander

(1) H. MICHEL, *Vichy, année 40*, p. 406-414.
(2) Flandin n'avait pourtant rien fait pour mériter ce désaveu ; mais les amis de Laval et de Darlan dénonçaient en lui un anglophile.
(3) D'après Baudouin, Abetz aurait laissé entrevoir à Darlan la possibilité de commander une grande Flotte européenne.

la marine, la seule force de taille internationale du régime de Vichy, qu'Hitler convoitait, et dont le sort inquiétait les Anglais et préoccupait les Américains — c'est pourquoi Roosevelt envoya comme ambassadeur à Vichy l'amiral Leahy.

L'amiral Darlan avait eu autrefois des attaches radicales-socialistes — il avait même dû se défendre d'avoir été franc-maçon ; depuis l'armistice, il a tiré un trait sur son passé. Très ambitieux, il est devenu l'homme d'une passion, la Flotte, et d'une idée fixe, la haine de l'Angleterre. Réaliste, il mesure l'état de dépendance où est tombé Vichy à l'égard de l'occupant ; il ne voudra le mécontenter en aucune façon.

Sur le plan intérieur, appuyé sur ses amis dans la marine qu'il place dans de multiples postes de l'Etat, Darlan va durcir l'application de la Révolution nationale ; c'est lui qui décide la création du Service d'ordre de la Légion, en février 1941, et qui édicte un deuxième statut des Juifs en juin, puis la Charte du travail en octobre. Il fait publier au *Journal officiel* des milliers de noms de dignitaires francs-maçons. Surtout, après l'invasion de l'URSS par la Wehrmacht, il intensifie les poursuites contre les communistes et il institue des cours spéciales pour punir les auteurs des attentats, ou leurs amis. Le caractère personnel du régime est renforcé par la prestation d'un serment d'allégeance au Chef de l'Etat, exigé des ministres, des militaires, des magistrats et des hauts fonctionnaires. Des « comités de propagande du maréchal » couvrent toute la zone sud — les Allemands interdisent leur extension à la zone nord. Les internements de communistes permettent à l'occupant de remplir ses listes d'otages, et de choisir à bon escient ceux qu'il fusille. Pétain aurait proposé, pour protester contre les exécutions, de passer la ligne et de se constituer prisonnier ; il y renonça vite, et les arrestations de « suspects » ne s'interrompirent pas pour autant.

Mais la politique intérieure n'intéresse Darlan que médiocrement. Son grand dessein est une France placée, avec son empire, son armée coloniale et sa marine de guerre, aux côtés d'une super-puissance continentale allemande. Tout en déclarant aux Américains qu'il restera neutre (1), il leur redit sa

---

(1) C'est du moins ce qu'il déclara à Leahy ; cf. W. LANGER, *Le jeu américain à Vichy*, Plon, 1948, p. 123.

conviction que l'Angleterre a perdu la guerre (1) ; d'ailleurs, une victoire allemande serait pour la France préférable à une victoire britannique, car « l'Angleterre prendrait Madagascar et Dakar, et l'Allemagne seulement l'Alsace-Lorraine ». Il pense être réaliste car, comme il le souligne dans une note à Pétain, « l'Allemagne peut occuper tout le territoire... ou séparer les deux zones... nous devons donc continuer la politique de collaboration » (2). Aussi bien Darlan accélère-t-il les préparatifs de la reconquête du Tchad ; il accepte de livrer au Reich l'or que la Belgique a confié à la France ; il cède de la bauxite à bas prix, et il autorise de nouvelles commandes d'avions en zone sud ; il s'est entouré de jeunes « technocrates » — dont Benoist-Méchin, Lehideux, Pucheu — désireux d'intégrer carrément la France dans l'économie (3), sinon même dans la guerre, allemande. En même temps, pour dissuader les Anglais d'exercer un blocus trop sévère des côtes de France, Darlan se déclare prêt à faire escorter les convois, et à ouvrir le feu s'il le faut. Comme Pétain envoie de son côté ses félicitations aux Français qui se battent dans les rangs de la *Légion des Volontaires français contre le bolchevisme* (LVF), alors qu'ils sont vêtus d'uniformes allemands, la délégation d'armistice allemande constate, avec satisfaction, que jamais les relations n'ont été aussi bonnes avec les Français.

Cependant Darlan s'efforce, en vain d'ailleurs, d'empêcher que des commissions d'armistice allemandes ne se rendent au Maroc ; il comprend que si un des belligérants prend pied dans l'empire, l'autre le suivra et l'empire sera perdu. Par contre,

(1) *Foreign relations*, 1940, t. II, p. 490-492.
(2) BOUTHILLIER, *op. cit.*, t. II, p. 279-280.
(3) Ils remettent à Abetz, en février, un rapport dans ce sens, qui aurait fascisé la France et qui, à leur grand étonnement, n'intéresse pas les Allemands.

si l'empire pouvait jouer un rôle dans la victoire allemande, la France le conserverait ; c'est pourquoi il répondit avec empressement à la convocation que lui manda Hitler de venir le rencontrer, alors que le Führer cherchait à aider les Irakiens révoltés contre les Anglais et qu'il avait besoin, pour cela, comme autrefois à Montoire, d'un appui français. La conversation aboutit à l'accord dit « Protocoles de Paris » (mai-juin 1941), qui est le sommet de la « collaboration » politico-militaire (1). Après avoir laissé se ravitailler en Syrie les avions allemands porteurs d'armes pour les insurgés, Darlan a accordé aux Allemands des facilités à Bizerte, dans les eaux territoriales de la Tunisie et à Dakar ; une défense en commun de la Tunisie, alors que Rommel recule en Libye, a été aussi envisagée. Ainsi l'empire est ouvert aux Allemands ; l'accord a commencé à être appliqué, notamment par la cession de camions à Rommel, lorsque le gouverneur général Boisson et le général Weygand viennent à Vichy faire différer son application intégrale. Une guerre fratricide a cependant éclaté en Syrie où les troupes du général Dentz combattent les Anglais et les Français libres. Darlan a pensé y envoyer une partie de la Flotte, et il a envisagé l'appui d'avions allemands. Mais l'état-major allemand a fait valoir à Hitler le risque d'une dissidence des troupes d'AFN, et le danger d'une guerre élargie au Levant, alors que l'attaque contre l'URSS était imminente. Darlan était allé tout près de la rentrée de la France dans la guerre aux côtés de l'Axe, ce qui aurait eu des conséquences incalculables. Une fois de plus les Allemands ont refusé toute concession sur l'armistice, en contre-partie de la contribution française ; Ribbentrop a

(1) *Documents on German Foreign Policy*, t. XI, p. 755, 774, 781-782, et *Commission française auprès de la Délégation allemande d'armistice*, t. IV, p. 472, 480.

donné comme instruction à Abetz de n'engager avec la France « aucun pourparler concret » (1).

Ainsi l'amiral Darlan a échoué ; sa politique a suscité beaucoup d'inquiétude en France, à commencer par le général Doyen, chef de la délégation d'armistice, et à continuer par Weygand ; l'amiral obtient le rappel de l'un et de l'autre, mais il n'en est pas moins condamné dans l'esprit de Pétain. C'est peut-être parce qu'il le pressentait que l'amiral a tenté, en février 1942, d'entraîner la France dans la guerre aux côtés de l'Allemagne ; c'est du moins le sens des conversations qu'eurent à ce moment Abetz et Benoist-Méchin, le second au nom de Darlan. Benoist-Méchin fit état d'une décision du cabinet français, qu'Abetz s'empressa d'authentifier dans ses dépêches à Berlin. Il est probable que les deux compères ont outrepassé leurs pouvoirs ; mais comme on ne voit pas pourquoi, l'affaire n'est pas claire (2) ; il est possible que ce soit une dernière manœuvre de Darlan. Cependant, son échec a été constaté de façon éclatante par Pétain lorsque, rencontrant Gœring à Saint-Florentin le 1er décembre 1941, il voit rejetées avec hauteur toutes les demandes qu'il a formulées. Il faut donc trouver une autre personnalité qui puisse, enfin, converser avec profit avec les autorités allemandes, parce qu'elle possède leur confiance — cette marotte poursuivie avec ténacité par Vichy. Certes, la situation de la France s'est quelque peu améliorée ; le chômage a disparu, la production a légèrement augmenté au printemps de 1942 ; mais le ravitaillement demeure précaire, les conditions de l'occupation aussi dures. Après avoir hésité, et malgré le veto américain

(1) Paxton, op. cit., p. 123-124.
(2) Cf. R. Aron, *Histoire de Vichy*, Fayard, 1954, p. 742-745, et E. Jackel, *La France dans l'Europe de Hitler*, Fayard, 1966, p. 306-310.

— mais à ce moment les Américains n'ont subi que des échecs — le maréchal rappelle Pierre Laval. Il a, du moins, partie liée avec Abetz (1). Les Allemands n'ont exercé aucune pression pour le rappel de leur partisan le plus fidèle ; Gœring a même déconseillé à Laval d'accepter.

III. — Le retour de Laval
(avril-novembre 1942)

Laval va désormais, jusqu'à la Libération, être progressivement investi de la plénitude du pouvoir. Il demeure toujours ébloui par les perspectives que découvrait la rencontre de Montoire, et convaincu que son éviction seule avait empêché la réalisation des promesses qu'elle contenait ; à plusieurs reprises, il va faire à l'occupant des propositions de franche et totale collaboration. Mais l'Allemagne de la seconde moitié de 1942 n'est plus celle de 1940 ; pour compenser les revers, Speer va enfin instaurer une véritable économie de guerre ; Sauckel, négrier des temps modernes, sera chargé de recruter la main-d'œuvre nécessaire dans les pays occupés ; la « question juive » est entrée dans sa « solution finale », et les Allemands exigent que les Juifs leur soient livrés. Laval constatera, et il s'en plaindra amèrement, qu'il est traité plus sévèrement que ses adversaires ; il est si dévalorisé qu'il ne peut pas rencontrer de sommité allemande.

Laval ne se borne pas à remplacer nominalement Darlan ; s'il conserve les mêmes ministères que son prédécesseur, il n'est plus seulement vice-président du Conseil ; il est promu chef du gouvernement. Son retour s'accompagne donc d'une demi-retraite du maréchal Pétain, qui demeure Chef de l'Etat. Du coup, de nombreux appuis, accordés à Pétain, vont man-

(1) On ignore à Vichy que « l'ambassadeur », jugé trop francophile, a perdu la confiance de Hitler, et même de Ribbentrop.

quer à Laval ; plusieurs ministres se retirent (1) ; beaucoup de légionnaires, de membres du « Parti social français » refusent à Laval la confiance qu'ils accordaient au maréchal ; l'amiral Darlan demeure le dauphin et le commandant en chef des forces armées. Responsable des affaires à Vichy, Laval devient la cible des collaborateurs de zone nord, de Doriot surtout, qui se pose comme son successeur. Le nouveau chef du gouvernement met pratiquement fin à la Révolution nationale ; il ralentit l'application des réformes ; peu à peu, les hommes responsables sont remplacés ; c'est la fin d'une mystique et un demi-retour à des procédés et à des hommes qui rappellent la IIIᵉ République.

C'est donc à la réussite de la collaboration que Laval va s'employer, avec une ténacité digne d'une meilleure cause. Sa fameuse déclaration selon laquelle il « souhaite la victoire de l'Allemagne », même accompagnée de cette explication restrictive que, à défaut, le bolchevisme triompherait, marque un point de non-retour. Laval traque les ennemis de l'Allemagne, les résistants d'abord ; un accord policier avec le général ss Oberg, responsable des services de sécurité allemands en France, laisse à la police française, en zone occupée, plus d'indépendance, mais la charge de lutter « contre l'anarchie, le terrorisme, le communisme » ; en même temps, cet accord introduit la Gestapo en zone libre, dès avril 1942 : les voitures allemandes de radiogoniométrie vont y traquer les émetteurs clandestins de radio. En octobre 1942, Laval peut ainsi se targuer d'avoir fait arrêter 400 « terroristes » et plus de 5 000 communistes, et saisi 40 t d'armes. C'est que l'opinion a évolué ; elle comprend mieux la Résistance ; l'évasion du général Giraud a réveillé l'antigermanisme qui sommeillait dans l'armée de l'armistice, et qui peut s'exprimer, puisque Pétain n'est plus à la barre. La contre-partie de Laval

(1) S'en vont Bouthillier, Belin, Caziot, Carcopino, Berthelot, Lehideux.

c'est, semble-t-il, les précautions qu'il prend du côté des Américains, malgré le rappel de l'amiral Leahy en mai 1942 et la défiance qu'exprime ce geste à son égard ; ainsi, tout en assurant aux Allemands que l'amiral Robert a reçu l'ordre de ne conclure, aux Antilles, aucun accord avec les Américains, il laisse l'amiral traiter aux conditions des Etats-Unis : neutralisation des navires de guerre, utilisation par les Alliés des bateaux de commerce et de l'or mis en sécurité en 1940 ; en l'occurrence, Laval, comme le souligne Paxton, a bel et bien joué double jeu (1).

C'est dans un esprit de collaboration que Laval livre des milliers de Juifs étrangers réfugiés en zone sud, tout en déclarant à Oberg que les Juifs ne pouvaient pas être livrés « comme dans un Prisunic, à volonté » ; des milliers de Juifs français seront aussi déportés (2). Il accepte que l'indemnité d'occupation soit portée à 500 millions par jour, et que de la poudre soit fabriquée pour l'Allemagne en zone non occupée — ce qui est contraire à la neutralité. Surtout, il se trouve devant l'ultimatum, lancé par Sauckel, de livrer de la main-d'œuvre à l'Allemagne, de gré ou de force — 250 000 hommes pour commencer, en mai 1942. Il est incontestable que Laval essaya de biaiser, de retarder les mesures, d'en atténuer les effets ; il se borna d'abord à intensifier l'embauche, sans grand succès. Il proposa alors la « relève », c'est-à-dire le retour d'un prisonnier de guerre libéré contre le départ d'un ouvrier volontaire, suggestion astucieuse qui permettait des libérations de prisonniers interrompues depuis l'évasion de Giraud ; mais Hitler décida qu'un seul prisonnier reviendrait contre trois

(1) PAXTON, op. cit., p. 293 ; amiral ROBERT, La France aux Antilles de 1939 à 1943, Plon, 1950.
(2) Cl. GOUNELLE, Le dossier Laval, Plon, 1969 ; G. WELLERS, article dans Le monde juif, juillet 1976.

ouvriers qui partiraient, ce qui fit de l'opération une duperie. Cela n'empêcha pas Sauckel d'instituer le *service obligatoire du travail* en zone nord, le 1er septembre 1942 — en violation de la convention d'armistice, et contre l'avis des militaires allemands, qui estimaient la mesure contraire au droit des gens. Pour éviter une décision analogue en zone sud, Laval sortit, le 4 septembre, une loi du même genre ; la même « fuite en avant » continuait : pour montrer qu'il était maître chez lui, Vichy appliquait les décisions allemandes.

Le premier grand succès des Anglo-Américains dans la guerre, *le débarquement en AFN*, allait mettre fin au pari de Vichy sur l'issue du conflit et, pratiquement, à son existence.

Après quelques avances vers Darlan, qui s'étaient révélées sans effet, les Américains avaient décidé de traiter avec le général Giraud, et de laisser en dehors de l'opération tant Pétain que de Gaulle (1). Ce fut une amère surprise pour les deux. Sur place, conformément aux ordres de « défendre l'empire contre quiconque », les troupes de Vichy s'étaient, une fois de plus, battues contre les Alliés, à Casablanca, à Oran, à Alger, au risque de faire échouer une action dont la réussite avancerait grandement la libération de la France. L'amiral Darlan, venu au chevet de son fils malade à Alger, non sans tergiverser, finit par conclure un armistice avec les Alliés, puis passa dans leur camp, après avoir obtenu que son autorité civile et militaire serait reconnue. Ce revirement, l'amiral l'avait effectué au nom du maréchal Pétain, en excipant d'un télégramme reçu de Vichy, qui faisait état d'un « accord intime » ; or, ce télégramme se référait en fait à une situation précédente, à un moment où les combats continuaient et où l'amiral Darlan, après s'être considéré un temps comme prisonnier, dessaisi de toute autorité, reprenait la direction des tractations avec les Américains (2). Au contraire, à Vichy, pour essayer d'éviter l'occupation de la zone sud, le maréchal Pétain avait refusé de quitter la France

(1) A. FUNK, *The politics of Torch*, Kansas University Press, 1974.
(2) P. DHERS, *Regards nouveaux sur les années 40*, Flammarion, 1958, p. 96 et sq.

et Pierre Laval s'était résigné à autoriser les Allemands à envoyer des troupes à Bizerte, ce qui permit aux forces de l'Axe d'occuper la Tunisie sans difficulté, et prolongea de plusieurs mois la guerre en AFN.

La collaboration militaire prenait ainsi forme, au moment même où Vichy perdait toutes ses forces armées. En effet, appliquant le « plan Attila », les Allemands occupèrent la zone sud, le 11 novembre 1942 pour parer à un éventuel débarquement allié ; les Italiens furent responsables de la région entre le Rhône et les Alpes. L'armée de l'armistice reçut l'ordre de ne pas résister ; seul, le général de Lattre de Tassigny tenta un baroud d'honneur. La Flotte, qui avait été appelée à Alger par Darlan, avait refusé d'obéir à son chef — l'amiral de Laborde exprima même ce refus par cinq lettres dont l'assemblage est réputé énergique — et suivit les consignes de Vichy en demeurant à Toulon. Le 27 novembre, les Allemands essayèrent par surprise de s'emparer de la Flotte ; il ne restait plus à celle-ci qu'à se saborder, de justesse ; un gros capital de combat allait ainsi au fond de l'eau, sans gloire. En quelques jours, le château de cartes de Vichy s'était écroulé.

IV. — Le temps de la soumission (1943-juin 1944)

Vichy a perdu tous les atouts de sa souveraineté : la zone libre, l'Empire, la flotte, l'armée de l'armistice ; peu à peu tous les Etats du camp allié rompent avec lui leurs relations diplomatiques, et ses propres diplomates passent à la « France combattante ». Pétain, au cours de la crise de novembre 1942, a délégué tous ses pouvoirs à Laval, sauf le pouvoir constituant, et il en a fait à nouveau son dauphin. En fait, paradoxalement, le régime de Vichy va se perpétuer un temps en Afrique du Nord, avec l'assentiment de l'occupant américain, et sous la direction d'abord de Darlan, puis, après son exécution par un jeune gaulliste, le 24 décembre 1942, du général Giraud, promu « commandant civil et militaire » (1). Certes la rupture est totale avec l'Axe, et l'armée française se reforge un moral et une technicité dans la campagne de Tunisie. Mais les lois et les hommes de la Révolution nationale restent en vigueur et en place ; par son engouement pour l'empire, son antisémitisme, Vichy avait gagné l'adhésion de la population française, colons et administrateurs. Il faudra attendre l'arrivée du général de Gaulle à Alger en juin 1943 et la formation du *Comité français de Libération nationale* pour que les lois de la République soient rétablies et les hommes responsables changés.

En France, en principe, le statut créé par la convention d'armistice n'est pas modifié ; la zone sud n'est théoriquement toujours pas occupée et les troupes allemandes n'y séjournent que « pour défendre la France contre une invasion anglaise » ; le gouvernement de Vichy demeure, en principe, libre. Effectivement, lorsque Pétain a délégué ses pouvoirs à Laval, les Allemands n'ont pas élevé d'objection. Mais Hitler a fait savoir à Vichy que, du fait de la violation de la convention d'armistice, par Darlan, il s'attribuait pour la France entière les pouvoirs que l'article 3 de la convention lui donnait pour la zone occupée. Et il a précisé au commandant militaire allemand que « la souveraineté française sera reconnue seulement dans la mesure où elle servira nos intérêts ; elle sera supprimée dès l'instant où elle ne pourra plus être conciliée avec les nécessités militaires » (2). Les délégations d'armistice à Wiesbaden et à Turin ne sont maintenues que pour la forme ; Abetz, revenu de Berlin après une disgrâce d'un an, donne désormais, à sa mission d'ambassadeur, son rôle véritable, qui est de signifier à Vichy les ordres de Hitler ; un autre diplomate est d'ailleurs placé auprès de Pétain, Renthe-Finck, et le maréchal est lui-même étroitement surveillé, à Vichy, par les ss de Skorzeny.

(1) Général GIRAUD, *Un seul but : la victoire*, Julliard, 1949.
(2) Cf. JACKEL, *op. cit.*, p. 371.

Pétain et Laval ne peuvent pas ne pas mesurer combien la situation s'est dégradée ; pourtant, ils ne changent pas de politique ; alors que les abandons se multiplient autour d'eux (1), ils ne font aucune démarche en direction des Alliés. Bien mieux, ils se comportent comme s'ils détenaient encore de réels pouvoirs ; ainsi Pétain a la velléité de se débarrasser de Laval, à qui il reproche d'avoir saboté la Révolution nationale et, par dépit, il fait une sorte de grève un certain temps. Laval continue à souhaiter de rencontrer Hitler « pour participer à la lutte contre le communisme et à la reconquête de l'Empire » ; on réglera en même temps le sort de la France dans l'Europe nouvelle ; il ne reçoit, en réponse, que des rebuffades ; il lui faudra désormais se borner à obéir, et docilement.

Effectivement, lorsque Sauckel, en janvier 1943, exige un nouveau contingent de 250 000 travailleurs, le gouvernement français mobilise à cet effet les classes 40, 41, 42 ; les exemptions pour les étudiants et les agriculteurs sont supprimées ; ce sont les préfets qui convoquent les requis, et les gendarmes français qui traquent les réfractaires. Certes, les mailles du filet sont assez lâches, et beaucoup d'appelés passent à travers ; mais, à la fin du conflit, il y aura environ 700 000 travailleurs français en Allemagne. Pour les Français, désormais, l'attentisme n'est plus de mise ; il leur faut se soumettre et s'expatrier, ou se soustraire et se rebeller ; ainsi, les réfractaires vont se cacher dans les campagnes, les montagnes et les forêts, au milieu d'une population complice ; tous maudissent et l'occupant et le régime, et ils vont offrir à la Résistance, mieux organisée grâce à Jean Moulin, ces maquis auxquels elle n'avait pas pensé, et qui seront le creuset des « Forces françaises de l'intérieur » lors de l'insur-

(1) Gibrat et l'amiral Auphan quittent le gouvernement ; le membre du PSF Ch. Vallin est emmené à Londres par le socialiste-gaulliste P. Brossolette ; Valentin, Pucheu, Peyrouton, Tixier-Vignancourt, Couve de Murville, le général Georges gagnent Alger ; plusieurs milliers d'officiers franchissent les Pyrénées pour s'engager dans la nouvelle armée française ; ceux qui restent en France forment la clandestine *Organisation de résistance de l'armée*, l'ORA.

rection nationale. Pour éviter cette fuite, Speer fait décider par Hitler, contre Sauckel, que les Français travailleront en France, pour l'Allemagne — dans les fortifications que construit l'organisation Todt, par exemple. En décembre 1943, il signe un accord avec Bichelonne, ministre français de la Production industrielle ; 3 300 usines deviennent « protégées », c'est-à-dire que leurs ouvriers ne leur seront plus enlevés, mais qu'elles travailleront entièrement pour le Reich ; la collaboration économique atteint ainsi son plein rendement à la fin du conflit.

Il en est de même de la collaboration militaire, c'est-à-dire de la lutte contre ces « terroristes » que stigmatise le maréchal. Les Allemands acceptent que soient renforcés les effectifs des corps français de sécurité. Vichy crée des forces répressives nouvelles, des brigades d'intervention, les « Groupes mobiles de réserve » (GMR), employés à des opérations de ratissage, et qui seront lancés contre l'important maquis des Glières, en Haute-Savoie, en janvier 1944 (1). A la fin de 1943 avaient été mis au point des « plans régionaux du maintien de l'ordre », en cas de soulèvements. Mais c'est à la *milice*, créée en janvier 1943, à partir du SOL, qu'est demandé l'effort principal. Elle est organisée militairement, sous le commandement de Darnand, et elle sera étendue plus tard à la zone nord ; elle comptait 10 000 hommes à l'automne 1943, et 15 000 au printemps de 1944. Plusieurs chefs (Darnand, Filliol, Lecussan) viennent de la Cagoule, tous les cadres de l'extrême-droite ; ce sont des notables, parfois titrés, souvent décorés ; les troupes sont recrutées dans le sous-prolétariat, mais quelques jeunes y ont adhéré, parfois pour échapper au

---

(1) Cf. CRÉMIEUX-BRILHAC, La bataille des Glières et la guerre psychologique, in *Revue d'histoire de la deuxième guerre mondiale*, juillet 1975.

sto ! L'élément actif de la milice est la « Franc Garde » ; son deuxième bureau « travaille » avec les services spéciaux nazis, le SD. La milice va multiplier les exactions, les violences ; elle aura ses « cours martiales », au jugement expéditif (1). Darnand recevra les félicitations du maréchal Pétain pour sa lutte contre « les terroristes ».

La collaboration politique atteindra aussi sa plénitude, mais d'une façon que les dirigeants de Vichy n'avaient ni voulue, ni prévue ; en janvier 1944, Abetz vient à Vichy imposer l'entrée au gouvernement de collaborateurs de la zone nord. Après avoir protesté et avoir envisagé de démissionner, Pétain et Laval doivent accepter que Philippe Henriot devienne secrétaire d'Etat à l'Information, J. Darnand, secrétaire général au « Maintien de l'ordre » — toutes les forces de sécurité passent sous ses ordres — et M. Déat, ministre du Travail. Ce qui montrait bien que le pouvoir ne résidait plus à Vichy, c'est que Déat n'y vint jamais, et qu'il administra son ministère de Paris. Cependant, si la popularité de P. Laval tombe alors au plus bas, celle de Pétain demeure certaine, peut-être parce que l'opinion imagine qu'il n'est pas responsable directement de la fin catastrophique de Vichy. Le maréchal effectue, en zone nord, un voyage au cours duquel les marques de sympathie ne lui sont pas mesurées, à deux mois du débarquement allié. Cela ne modifie ni ses idées, ni son comportement ; il n'envisage aucune rupture avec l'occupant. Il continue à recommander aux Français de demeurer neutres dans le grand conflit, où ils ont été pourtant les premiers à s'engager, et dont leur sort dépend. Même le 6 juin 1944, jour du débarquement en Normandie, alors que de Londres le général de

(1) J. DELPERRIE DE BAYAC *Histoire de la milice*, Fayard, 1969.

Gaulle proclame qu'est engagée « la bataille de France et la bataille de *la* France », le maréchal Pétain, dans un appel aux Français, partiellement inspiré par l'occupant, leur demande de demeurer inactifs « pour ne pas aggraver leurs malheurs » (1).

V. — La fin : Le temps des comptes

Aussi bien, la fin du régime de Vichy fut-elle lamentable. Pétain et Laval tentèrent en vain une sortie honorable. Après avoir refusé une « ultra-collaboration » que leur proposaient les collaborateurs de zone nord et quatre ministres de Vichy (2), les deux hommes, sans s'être semble-t-il concertés, essayèrent de se démunir légalement de leurs pouvoirs ; sans doute espéraient-ils ainsi, Laval surtout, une garantie sur leur sort personnel, mais ils voulaient aussi écarter le risque d'une guerre civile. Pétain avait chargé l'amiral Auphan de démarches auprès de personnalités de la Résistance, pour transmettre son autorité à de Gaulle ; il lui fut répondu qu'il convenait d'abord de mettre fin aux attaques contre les maquis, ce qui n'était plus au pouvoir du maréchal (3). Laval fit venir E. Herriot à avec l'espoir de réunir l'Assemblée nationale ; il comptait sur l'appui de Roosevelt, dont il connaissait l'aversion pour de Gaulle ; mais Abetz, complice de la manœuvre, fut une fois de plus désavoué à Berlin, où on entendait conserver Pétain et Laval sous la main. Laval paya d'ailleurs cette possibilité de négociation par l'acceptation d'une élévation à 700 millions de francs de l'indemnité quotidienne d'occupation — que le ministre des

---

(1) Texte *in* Robert ARON, *op. cit.*, p. 649.
(2) Il s'agissait d'élargir le gouvernement par l'entrée « d'éléments indiscutables ».
(3) Cf. lettre de Michel DEBRÉ, in *Revue d'histoire de la deuxième guerre mondiale*, avril 1973, p. 114.

Finances Cathala avait d'abord refusée. Plus que jamais, les dirigeants de Vichy affectaient une attitude de neutralité — comme si le sort de la France n'était pas en jeu ; Laval avait ordonné aux préfets de demeurer à leurs postes et d'assumer, s'il le fallait, les pleins pouvoirs ; oralement, il leur avait dit de désarmer les troupes de la collaboration (1).

Les Allemands décidèrent d'emmener Pétain et Laval avec eux les 17 et 19 août, d'abord à Belfort, puis à Sigmaringen, dans un château sur le haut Danube ; l'attitude des deux hommes fut alors très digne ; ils refusèrent de prendre quelque décision que ce fût puisque, n'étant plus en France, ils n'étaient pas en mesure de gouverner ; mais ils n'acceptèrent pas non plus de démissionner, pour qu'un gouvernement entièrement composé de collaborateurs ne pût pas être constitué. Les « collaborateurs » avaient suivi leurs protecteurs, mais leur déroute n'avait pas mis un frein à leurs rivalités, au contraire. Ils sont d'ailleurs entièrement démunis de moyens d'action, et leur seule force réside dans les 3 000 miliciens qui ont suivi Darnand, après avoir « emprunté » plusieurs centaines de millions de francs à la banque de France à Belfort. En définitive, de Brinon forma une « délégation gouvernementale », avec Déat, Darnand, Bichelonne, Bonnard et Marion ; l'objectif était, par la suite, de faire investir Doriot par Pétain, mais le maréchal s'y refusa. Le nouveau « gouvernement français » vivait des subsides allemands, prélevés sur le fond du *clearing*, pour qu'ils aient une apparente origine française ; il bénéficiait de l'exterritorialité, mais les Allemands lui dénièrent tout droit de regard sur les Français, prisonniers de guerre, requis, déportés — près de deux millions de personnes — vivant alors en Allemagne. Pour contenter Doriot, on lui donna la direction d'un « Comité de Libération », qui l'opposait ainsi directement à de Gaulle ; on rêva alors de sabotages, de maquis, mais le chef du PPF n'avait plus que 300 hommes et il mourra sous la mitraille d'un avion allié en février 1945. La politique de collaboration avait ainsi amené le régime de Vichy à finir son existence en Allemagne. Né de la défaite, il était mort de la victoire (2).

Cependant, en France, les mesures décidées à Alger étaient appliquées sans difficultés. Partout, les

(1) Ce fut du moins ce que crurent les services de police allemands.
(2) Louis NOGUÈRES, *Sigmaringen*, A. Fayard, 1956.

commissaires de la République, les 87 nouveaux préfets (dont 20 de carrière) et la plupart des sous-préfets, nommés par le gouvernement provisoire, prenaient leurs fonctions, au fur et à mesure du départ des Allemands ; les comités départementaux de Libération jouaient le rôle de conseils généraux ; dans les communes, des délégations provisoires, désignées par les mouvements de résistance, administraient à la place des autorités vichystes ; un grand nombre de fonctionnaires de haut rang étaient également remplacés, conformément aux enquêtes et propositions du NAP (noyautage de l'administration publique). A aucun moment et en aucun lieu les tenants de Vichy n'opposèrent un semblant de résistance, ou ne mirent en doute la légalité de leurs remplaçants. Il arriva même que la passation des pouvoirs se fît le plus régulièrement du monde ; mais, la plupart du temps, les gens de Vichy, pour ne pas être arrêtés, s'enfuirent ou se cachèrent (1).

En effet, le Comité français de Libération nationale avait décrété le 3 septembre, à Alger, que tous les ministres de Vichy seraient traduits devant une Haute Cour de justice ; le premier ministre sanctionné fut Pucheu, venu s'engager en AFN, et qui fut condamné à mort et fusillé le 20 mars 1944 (2). Pour juger les actes de collaboration, politique ou économique, furent instituées auprès des cours d'appel, à raison d'environ une par département, des cours de justice et des chambres civiques, les « traîtres » étant déférés devant les tribunaux militaires. Le dispositif et l'installation des autorités de la Résistance freinèrent mais n'empêchèrent pas l'explosion de violence qui suivit la Libération et qui se traduisit par des exécutions sommaires, des

(1) Ch. L. FOULON, *Le pouvoir en province à la Libération*, A. Colin, 1975.
(2) Général SCHMITT, *Le procès Pucheu, op. cit.*

vengeances personnelles, des exactions nombreuses, mais ne fut jamais le « bain de sang » souvent évoqué (1). Sa virulence s'expliquait par cinq années de souffrances, la découverte de charniers, où Allemands et miliciens avaient entassé les cadavres de leurs victimes ; elle sera ranimée par le retour des squelettiques survivants des camps de concentration nazis ; c'est sur ces images qu'une population, fort éprouvée par quatre années de tension et de privations, condamna l'ensemble du régime de Vichy.

(1) Cf. Marcel BAUDOT, La répression de la collaboration in *La Libération de la France*, CNRS, 1976.

CHAPITRE V

VICHY ET LES FRANÇAIS

I. — Les forces politiques au pouvoir

La défaite avait fait éclater les cadres tradi-
tionnels de la vie politique française ; on se pronon-
çait pour ou contre l'armistice, pour Pétain ou
pour de Gaulle ; tous les groupements furent ainsi
divisés, de surprenants rapprochements s'effectuant
a contrario ; la Résistance, la collaboration, le vichysme sont, à des degrés divers, des phénomènes
interclasses et pluripartisans. Cependant, il est peu
contestable que, dans l'ensemble, le régime de Vichy
a trouvé ses fidèles dans une droite qu'il a rassemblée.

L'Action française, bien qu'elle eût des dissidents (1), joua à Vichy un rôle considérable, au
point qu'Abetz s'en effraya en raison de l'antigermanisme de principe du mouvement. Tout en
refusant un rôle personnel, Maurras commanda à
ses troupes une confiance entière dans le maréchal :
c'est lui qui inventa le slogan « La France seule »,
et qui célébra dans la défaite une « divine surprise »,
puisqu'elle donnait à la France un souverain ines-
péré. Dans les conseils du maréchal, les maurrassiens
étaient nombreux : Alibert, Henri Massis, Du
Moulin, René Gillouin, l'amiral Fernet, etc. L'équipe

(1) Duc de CHOISEUL-PRASLIN, *Cinq années de résistance*,
F. de ROUX, 1945.

rédigea plusieurs des messages du maréchal. Ses écrivains purent répandre leurs idées dans de nombreuses revues ou hebdomadaires nouveaux, et Gustave Thibon devint le « Pascal du régime ». De nombreux hobereaux sortirent de leurs gentilhommières pour prendre du service dans les organismes parallèles — information, mouvements de jeunesse, écoles de cadres. Mais l'attrait de la doctrine n'agit que sur une minorité de Français ; la grande masse ne le subit pas et les effectifs n'augmentèrent guère (1).

La plupart des *groupuscules fascistes* allèrent chercher leur pitance auprès des Allemands. Cependant Doriot et le PPF soutinrent longtemps le maréchal contre Laval et Déat — ils joueront notamment un grand rôle en AFN (2). Mais le plus important d'entre eux, le moins fasciste aussi, le PSF, devenu « Progrès social français », découvrit avec joie son propre programme appliqué dans la Révolution nationale ; les mesures en faveur de la famille, notamment, enchantèrent le colonel de La Rocque, un peu marri toutefois d'avoir été dépossédé de ses idées ; tout en restant personnellement à l'écart, ne briguant ni honneur ni fonction, il recommanda aux membres du parti de suivre Pétain. Des adhérents du PSF, issu des « Croix de Feu », animateurs d'associations d'anciens combattants avant la guerre, occupèrent des places importantes dans la « Légion des Combattants », qui fut, nous l'avons vu, l'armée politique du régime. Mais la demi-retraite du maréchal et l'évolution de la politique de collaboration se traduisirent par de nombreux revirements vers la Résistance (3).

(1) E. WEBER, *L'Action française*, Stock, 1962, p. 490.
(2) Y. DANAN, *La vie politique à Alger*, Librairie générale de droit et de jurisprudence, 1963.
(3) Ph. MACHEFER, Aspects de l'activité du Parti social français, in *Revue d'histoire de la deuxième guerre mondiale*, janvier 1965 ; La Rocque et Borotra seront arrêtés par les Allemands.

L'*Eglise*, qui avait rompu tant de lances avec la République laïque, accueillit avec d'autant plus d'empressement le nouveau régime que, après tout, elle ne faisait que « rendre à César ce qui était à César ». La hiérarchie catholique était séduite par le respect que Pétain manifestait envers l'Eglise, les subventions qu'il accordait aux écoles libres, la valeur éducative qu'il attribuait au sentiment religieux, la présence des autorités aux cérémonies religieuses. Cardinaux et évêques ont, à plusieurs reprises, affirmé leur « loyalisme complet et sincère envers le pouvoir établi », et ils ne furent pas étrangers au rejet d'une « jeunesse unique » par le maréchal. Cependant, quelques différends s'élevèrent avec le régime à propos des scouts catholiques ou des syndicats chrétiens, et le fossé se creusa avec le sort réservé aux Juifs, contre lequel protestèrent, avec courage, Mgr Liénart comme Mgr Salièges (1). Les protestants se divisèrent davantage et plus grande fut la minorité qui opta pour l'opposition et la Résistance ; elle se dépensa beaucoup pour la protection des victimes du régime.

Comment l'*armée* ne se serait-elle pas reconnue dans les grands chefs militaires qui gouvernaient la France, Pétain, Weygand, Darlan ? Comment ne les aurait-elle pas suivis ? N'était-ce pas sur ses vertus, l'obéissance et la discipline, qu'était fondée l'éducation qu'on entendait désormais donner aux jeunes Français ? Les officiers de marine étaient séduits par l'importance soudaine que prenait leur arme, dans la défense du pays d'abord, dans son administration ensuite. Pour les cadres militaires, l'adage changeait de sens : c'était la toge qui cédait le pas aux armes. Ils se souvenaient du temps

(1) J. Duquesne, *Les catholiques français sous l'occupation*, Grasset, 1966.

du Front populaire, des injures qu'ils avaient alors essuyées, de la propagande antinationale des partis de gauche, de leur répugnance à voter les crédits militaires ; ils inclinaient à imputer aux politiciens les causes du désastre de 1940. En outre, le nouveau régime mettait l'accent sur la défense de l'Empire, cet Empire que les militaires avaient conscience d'avoir conquis dans l'indifférence des pouvoirs publics. Mais la défiance à l'égard de l'Allemagne demeurait grande chez des hommes nourris d'antigermanisme à Saint-Cyr ; ils voudront croire que le maréchal joue double jeu, ou qu'il est trompé par son entourage, et c'est en demeurant pétainistes qu'ils reprendront le combat contre l'occupant (1).

Il y avait cependant quelques hommes « de gauche » à Vichy, mais comme des individualités ne représentant qu'eux-mêmes ; la grande majorité ne demandait qu'à se faire oublier. Faisant leur mea-culpa des fautes et erreurs de la IIIᵉ République, des socialistes comme Spinasse, Rives, Thivrier et Paul Faure, des syndicalistes comme Belin, Dumoulin et Delmas, des radicaux comme G. Bonnet, Creyssel et E. Berl coopéraient plus ou moins directement avec le pouvoir. Ils contribuèrent à mettre l'accent sur l'aspect « social du régime » ; Berl et Bergery rédigèrent certains messages du maréchal sur ce sujet, tel « le discours de Saint-Etienne ». Ces hommes de gauche étaient venus à Vichy par anticommunisme, ou par pacifisme, mais aussi en suivant la tendance qui, déjà sous la IIIᵉ République, dénonçait l'esprit de parti ; souvent la coupure datait des accords de Munich.

(1) Cl. de DAINVILLE, *L'ORA*, Lavauzelle, 1974.

II. — Bourgeoisie et capital

Se déclarant hostile à tous les internationalismes, Vichy l'était, en théorie, également à l'internationalisme capitaliste (1). Un « Etat fort » ne devait d'ailleurs être inféodé à aucun groupement d'intérêts particuliers. Dès le 11 juillet 1940, le maréchal dénonçait « la ténébreuse alliance » du socialisme et du capitalisme qui, « tout en s'opposant l'un à l'autre, se ménageaient secrètement » — mais il ne donnait pas d'exemple de cette mystérieuse connivence contre nature. Le 12 août, il déclare que « notre pays doit être débarrassé de la tutelle la plus méprisable, celle de l'argent ». Le 11 octobre, il stigmatise « la puissance des trusts et leur pouvoir de corruption ». On reconnaissait là quelques formules inspirées du « frontisme » de Bergery. Le 9 novembre étaient dissous le Comité central des Houillères de France, le Comité des Forges et la Confédération nationale du Patronat français (2).

Effectivement fut décidée une taxation des excédents de bénéfices, des plus-values boursières, des revenus des capitaux financiers ; la taxe sur les plus-values boursières avait été fixée à 33 % en 1940 ; elle sera ramenée à 20 % en juillet 1941. La loi du 18 septembre 1940 s'attaqua directement aux « puissances d'argent », par la réforme des sociétés anonymes, dont le statut datait de 1867 ; en limitant le nombre des administrateurs, la loi augmentait leurs responsabilités personnelles, notamment celles du président du conseil d'administration. Ainsi était affirmée la volonté de l'Etat de contrôler

(1) Pour Gustave Thibon, la vraie révolution doit s'accomplir non par le développement de l'industrie, mais contre lui ; marxisme et capitalisme sont renvoyés dos à dos, car ils ne pensent qu'à développer l'*homo economicus*, au détriment de son âme.
(2) J. Liebman, Entre le mythe et la légende, l'anticapitalisme de Vichy, *Revue de l'Institut de Sociologie*, Bruxelles, 1964.

l'activité des sociétés anonymes. Le ministre des Finances Bouthillier avait même créé, le 30 septembre 1940, un comité chargé de surveiller l'activité des banques. Ces mesures, non sans importance, n'annonçaient certes pas une réforme du système capitaliste ; elles suscitèrent cependant l'inquiétude des milieux financiers, qui s'employèrent à les freiner ; ils obtinrent un quadruplement des cumuls pour une même personne dans les conseils d'administration et, pratiquement, la non-application de la loi du 18 septembre.

Les exigences d'une économie de pénurie amenèrent Vichy, nous l'avons vu, à instituer une organisation professionnelle de chaque branche d'activité industrielle. C'était une association Etat-entreprises, et, puisque les travailleurs étaient exclus de la direction des entreprises, une association Etat-patronat. Le gouvernement exerçait certes son contrôle, par des commissaires, mais en fait chaque comité d'organisation dirigeait la profession qu'il représentait ; le président du syndicat national devint le président du Comité d'organisation, dont le bureau et les locaux furent également ceux du syndicat patronal. Par la suite, les grandes entreprises n'eurent pas grand mal à éliminer les petites. Comme les comités d'organisation couvraient 321 branches de l'activité économique, le corporatisme, conclut R. Paxton, « signifie que toute l'économie française était entre les mains du patronat ». Cette association intime entre l'Etat et le capital et la sujétion progressive du premier au second ont été si bien comprises par les contemporains qu'est née, sous l'occupation, la légende d'un complot de la « synarchie » visant à conquérir l'Etat.

Ce faisant d'ailleurs, le régime de Vichy se met en contradiction avec lui-même, quand il déclare vouloir faire revenir la France à une économie préindustrielle. Pétain avait déclaré que « l'exploitation familiale est la principale base économique et sociale de la France ».

René Gillouin, un des « penseurs » proches du maréchal, estimait que « les artisans représentent l'ancienne France, cette France qui avait le goût du travail, le sens de l'épargne et le sentiment de la famille ». Les programmes scolaires insistent sur la valeur éducative du travail manuel ; on s'efforce de faire revivre l'artisanat, en installant des artisans dans les campagnes ; c'est le complément du retour à la terre, et de la renaissance des villages, grandes familles où la population vit sainement et simplement, sous la tutelle bénéfique des notables et du curé. Mais, en fait, de nombreuses petites entreprises durent fermer, pour libérer des ouvriers requis pour le travail obligatoire, ou parce que leur production, par sa nature ou ses insuffisances, ne satisfaisait pas l'occupant. Vichy est ainsi un Janus à double visage. Par son idéologie, son personnel politique, ses vieillards, il est traditionaliste et même passéiste ; sous la contrainte de l'occupant et des circonstances, et par l'action de techniciens de 40 ans, il favorise la concentration industrielle.

Le grand capital est donc tout à fait à son aise dans le monde de Vichy. Le spectre de la révolution sociale, entrevu avec effroi en 1936, appartient à un passé qu'il peut croire révolu. Désormais il est débarrassé de la crainte des grèves, devenues illégales, et il n'a plus à faire front contre l'hostilité permanente des syndicats ouvriers. Puisque la plus haute autorité de l'Etat, le maréchal Pétain, a déclaré qu'il entrait dans la voie de la collaboration, pourquoi se priver de commercer avec l'occupant ? Les fonctionnaires de Vichy se plaignent fréquemment de la désinvolture avec laquelle les industriels acceptent docilement, ou sollicitent, les commandes allemandes ; une des raisons de la collaboration est précisément la volonté de ne pas leur laisser la bride sur le cou, et de leur substituer la puissance publique dans les relations avec l'occupant. Les mêmes industriels n'étaient d'ailleurs pas motivés seulement par leur avidité et l'espérance de gros profits ; ils se flattaient — et ce n'était pas totalement inexact — de concilier l'intérêt national avec l'intérêt privé : fermer l'entreprise, n'était-ce pas réduire les ouvriers au chômage et à la misère, les remettre à Sauckel, et priver un peu plus la population de produits indispensables ? On retrouve là le terrible piège de l'armistice : même pour subsister chichement, les Français doivent travailler pour leur vainqueur. Cette attitude du patronat explique les projets de nationalisations élaborés par la Résistance clandestine unanime ; elles étaient préconisées pour des raisons économiques de rationalisation, et politiques de libération de l'Etat ; elles seront réalisées également dans une volonté de purification et de punition d'une excessive servilité à l'égard de l'occupant (1). Toutefois, dans le monde des industriels, pas plus que dans aucune autre catégorie de Français, ne fut réalisée une unité durable ; certains patrons ruseront avec les exigences allemandes ou prendront des contacts avec la Résistance — pour organiser, par exemple, des sabotages permettant d'éviter des bombardements alliés ; ainsi le Front national, d'inspiration communiste, fera la différence entre un de Wendel, « résistant », et un Schneider, « collaborateur ».

III. — Ouvriers et paysans (2)

Les *paysans* sont, à Vichy, parés de toutes les vertus ; les romanciers célèbrent leur vie simple, les doctrinaires voient en eux la sève de la nation, les administrations rivalisent pour leur venir en aide. Pour Vichy, le monde paysan représente la

(1) Cf. nos *Courants de pensée de la Résistance*, PUF, 1962, *passim*.
(2) Marquis d'ARGENSON, *Pétain et le pétinisme*, Ed. Créator, 1953, p. 90 et sq.

stabilité, le dur labeur, le patriotisme (1) ; dans la plupart des régions, les ruraux subissent l'ascendant tranquillisant de l'Eglise et des gros propriétaires ; les ouvriers agricoles ne sont pas organisés syndicalement, et les grèves sont inconnues à la campagne. Les circonstances commandaient d'ailleurs une augmentation de la production agricole, tant pour nourrir les Français que pour satisfaire l'occupant. Enfin, les prisonniers de guerre, sur qui les pouvoirs publics, le maréchal en premier, se penchaient avec sollicitude, car, disait-on à Vichy, leur souffrance régénérait la France, étaient pour une bonne proportion des paysans. Ceux-ci furent donc l'objet de nombreuses mesures tendant à améliorer l'habitat rural, à remembrer les petites exploitations, à mettre en valeur les terres abandonnées, à intensifier la lutte contre les ennemis des cultures ; le maréchal, canne à la main, s'entretenait familièrement avec ceux qu'il rencontrait.

Ce comportement se traduisait par le slogan du « retour à la terre ». Effectivement, la plupart des villes se vidèrent d'une partie de leurs habitants, partis chercher un refuge chez quelque parent campagnard. Mais c'était pour fuir les bombardements, et parce qu'on mangeait mieux à la campagne. En fait, moins de 2 000 familles demandèrent des subventions pour « retourner à la terre » ; la guerre ralentit un temps l'exode rural, mais il reprendra de plus belle après la Libération. Sur ce point, la politique de Vichy subit un échec, et elle connut plus de sarcasmes que de résultats. Une plaisanterie circulait qui, faisant allusion aux difficultés de ravitaillement, concluait que ce qui se préparait en réalité était un prématuré « retour dans la terre ».

Les cultivateurs n'étaient cependant pas exempts de difficultés ; le prix des engrais avait augmenté ; le carburant manquait, moins pour les machines agricoles, peu nombreuses, que pour les transports de produits ; faisaient défaut également, plus qu'à la ville, chaussures et vêtements. Mais, en ces temps

(1) Abetz s'effrayait à l'idée d'une France rurale, voulue à Berlin, car elle serait un terroir de patriotisme ; les ouvriers, disait-il, sont plus internationalistes.

de pénurie généralisée et de recherche obsédante de ravitaillement, les paysans découvrent qu'ils possèdent la seule vraie richesse du moment, les victuailles. Jusque-là, ils devaient les porter au marché pour les vendre, ou ils les cédaient à des intermédiaires, sans être toujours bien en mesure de défendre leurs intérêts. Dorénavant, ils vont attendre le client chez eux, à domicile, et c'est eux qui fixent les prix. Ils gagnent ainsi beaucoup d'argent, dont ils ne savent pas toujours que faire — d'où la légende, à la Libération, des lessiveuses des « culs terreux » pleines de billets de banque. Mais ils s'accoutument aussi à échanger leurs produits contre d'autres qui leur font défaut ; ils alimentent ainsi le marché noir familial, sinon même le marché noir spéculatif.

L'idylle du paysan avec Vichy n'est cependant pas sans nuage. Le paysan a ses ennemis : les agents du ravitaillement général, qui réquisitionnent ses récoltes, à des prix fixés souvent par l'occupant, c'est-à-dire à bas prix ; il lui faut ruser avec eux, leur fournir des statistiques erronées, dissimuler une partie des fruits de son labeur. L'autre fauteur de trouble, c'est le réfractaire au STO. Quand c'est un parent de la ville, on le cache tant bien que mal, et on le nourrit. Mais le problème se complique avec la constitution de maquis, où des centaines d'hommes ont besoin régulièrement de vivres ; tantôt ils les achètent, mais plus fréquemment, ils les paient avec des bons dont nul ne sait quelle sera la vraie valeur, quand ils ne s'en emparent pas par la violence. Cependant, le sentiment patriotique ou xénophobe fut, à la campagne comme à la ville, alimenté par les émissions de la BBC ; le soulèvement de la Bretagne, à l'été de 1944, par exemple, sera un soulèvement de paysans, alors que les voisins normands ne bougeront guère.

Les *ouvriers* étaient les mal-aimés à Vichy, les moins respectés, les moins protégés, les plus décriés. Le discrédit qui pesait sur les villes rejaillissait sur eux, habitants des faubourgs ; par leurs revendications — leur matérialisme sordide, avait dit P.-E. Flandin — n'étaient-ils pas à l'origine des troubles sociaux ? N'avaient-ils pas trop souvent suivi les « mauvais bergers » communistes, socialistes et syndicalistes ? N'avaient-ils pas sacrifié à un internationalisme nocif, au risque d'affaiblir leur patrie, ou leur terre d'accueil, puisqu'une partie d'entre eux étaient des étrangers ? Théoriquement, le régime ne veut que du bien à l'ouvrier ; le maréchal stigmatise les mauvais patrons qui, par leurs abus, font les mauvais ouvriers ; il veut rééduquer ceux-ci en les intégrant dans un nouveau contexte économique et social, et les empêcher de nuire tant qu'ils n'auront pas changé. Aussi bien les ouvriers sont privés du concours des partis pour lesquels ils votaient, socialiste et surtout communiste ; ils ne sont pas absolument privés de syndicats, puisque certains leaders syndicalistes, Belin en tête, ont conclu un pacte avec Vichy. Mais, par contre, ils ont perdu le droit de grève, donc toute riposte possible, et les syndicats officiels, où ils ne choisissent pas leurs délégués, ne leur inspirent guère confiance.

Surtout, leurs moyens d'existence ne cessent de décroître, parce que leurs salaires sont bloqués, alors que leurs difficultés matérielles s'accroissent ; ils sont les plus malheureux des citadins, et ils n'ont pas les moyens de se nourrir, de se vêtir et de se chauffer au marché noir. Enfin, pèse toujours sur eux l'obsession du chômage, et ils sont les plus menacés, et les plus atteints, par le Service du Travail obligatoire (1).

Il est vrai que toutes les conquêtes sociales n'ont pas été supprimées et que subsistent les congés payés ou les assurances sociales. Des mesures sont prises en faveur des ouvriers : « jardins ouvriers », secours accrus aux chômeurs, entreprises de travaux publics de nature à diminuer le chômage. Elles sont paternalistes ; les salariés, mis en dehors, comme tous les Français, de la vie politique, le sont aussi de la gestion de l'économie ; ils ne sont représentés que dans des comités sociaux. Cependant, c'est énoncer une formule de propagande politique qu'affirmer que la classe ouvrière a été la première, et unanime, à prendre parti contre l'occupant et contre Vichy. Elle était bien trop absorbée par ses difficultés matérielles d'existence, et trop coupée de ses leaders habituels, du moins tant que les communistes n'entreront pas en bloc dans la Résistance après l'invasion de l'URSS par la Wehrmacht. Nombreux sont les ouvriers qui, à Montluçon, Commentry, Saint-Etienne, sont venus acclamer le maréchal au cours de ses

(1) La semaine de travail est passée de 35 h 6 en décembre 1940 à 46 h 2 en mars 1944. Cf. INSEE, *Mouvement économique en France de 1938 à 1946*, Paris, 1950.

visites ; nombreux seront parmi eux les partants volontaires pour le STO, et relativement rares ceux qui s'y déroberont — parfois un sur quatre, parfois un sur dix ; les refus cesseront d'ailleurs pratiquement à partir du moment où le travail exigé sera effectué en France, sans départ pour l'Allemagne (1). La protestation des ouvriers sera, comme toujours, la grève, bien qu'interdite ; elle sera lancée au début pour des revendications matérielles, de conditions de travail, de ravitaillement, comme celle des mineurs du Pas-de-Calais en mai-juin 1941. Puis, la propagande de la Résistance aidant, les grèves se feront contre l'occupant, car la conviction grandira que sa présence est la cause de tous les maux.

Les *femmes*, pendant le régime de Vichy, n'ont pas eu d'institutions propres, à la différence des jeunes. Profondément réactionnaire sur ce point, le régime voyait en elles seulement les femmes de prisonniers qui prennent la place de leurs maris, les ménagères et les mères de familles, de préférence nombreuses — en somme, les « 3 K » de Hitler : église, cuisine, enfants. C'est dans la Résistance clandestine que les femmes s'affirmeront (2) ; le Parti communiste créera pour elles l' « Union des Femmes de France ». A la Libération, elles recevront le droit de vote.

IV. — Les intellectuels

Le monde des intellectuels et des artistes est généralement celui du non-engagement politique ; il est trop divers, d'autre part, pour faire corps en quelque circonstance que ce soit ; il comporte toujours une aile non conformiste, qui rompt, comme par principe, avec les modes intellectuelles de son temps. Cependant, au début du régime de Vichy, les intellectuels, atterrés par la soudaineté et l'am-

(1) On trouvera une proportion de 20 à 30 % d'ouvriers dans les groupements de collaboration et, par suite, parmi les personnes sanctionnées à la Libération.
(2) Cf. notre *La guerre de l'ombre*, Grasset, 1970, *passim*.

pleur au désastre national, firent quasi unanimement confiance au maréchal ; ils évolueront par la suite, plus vite que les autres Français, et il est assez piquant, après coup, de comparer les éloges que des écrivains aussi réputés que P. Claudel, F. Mauriac et P. Valéry ont adressés successivement au maréchal Pétain et au général de Gaulle. Il nous sera impossible de faire autre chose que de repérer des catégories et procéder à une énumération.

Après le refus du maréchal de copier servilement les régimes fascistes, de nombreux *écrivains* allèrent vivre à Paris, comme les hommes politiques, leurs amis ; leur principal organe d'expression fut la *Nouvelle Revue française*, confisquée par Drieu La Rochelle (1) et mise au service de « l'ordre nouveau ». Pour vivre, ou par conviction, la plupart des écrivains de la zone occupée s'engagèrent carrément dans la littérature politique de collaboration. Céline, A. de Chateaubriant, Rebatet, R. Brasillach, A. Bonnard, A. Hermant, G. Blond, Paul Chack, le savant G. Claude, etc., multiplièrent les articles, ou les conférences, favorables à l'occupant. D'autres jouèrent d'une certaine ambiguïté, tel J. Anouilh avec son *Antigone*, dont Créon fut le héros sous l'occupation et Antigone à la Libération ; tel Cl. Vermorel avec une *Jeanne d'Arc*.

A Vichy, si certains écrivains, comme H. Pourrat ou R. Benjamin, se font les hagiographes du maréchal de son vivant, la vie intellectuelle n'est pas soumise à un carcan totalement immobilisateur. Autour de Ch. Maurras bourdonne toute l'équipe de l'Action française, avec H. Massis, Thierry Maulnier. La critique du marxisme, le renouveau du « socialisme français », le rejet de la démocratie, et la recherche de fondements idéologiques du régime se traduisent, au moins pendant les premières années, par une effervescence d'idées et de discussions ; des hommes venus de la gauche, comme Mistler ou Mounier, y prennent part ; plusieurs revues nouvelles sont lancées. Une certaine volonté de syncrétisme se fait jour, notamment dans les discussions passionnées de l'école de cadres d'Uriage — qu'il faudra fermer quand le régime se roidira et se fascisera.

(1) RICHARD, Drieu La Rochelle et la *NRF* des années noires, *Revue d'histoire de la deuxième guerre mondiale*, janvier 1975 ; Gérard LOISEAUX, *La littérature de la défaite et de la collaboration*, Publications de la Sorbonne, 1984.

De nombreux écrivains ont préféré s'exiler, parce qu'ils étaient juifs, comme A. Maurois et H. Bernstein, ou qu'ils voulaient s'exprimer librement, tels J. Romains, G. Bernanos, J. Maritain, H. Focillon, Saint-John Perse ; il est significatif de la faiblesse de la France libre à l'époque qu'ils ne se soient pas fixés à Londres, où ils ne firent que passer, mais aux Etats-Unis — et J.-R. Bloch à Moscou. D'autres préférèrent garder un silence digne, comme A. Gide, P. Valéry, F. Mauriac, G. Duhamel, R. Martin du Gard. Mais, très vite, une minorité, qui ira grandissant, passa à l'opposition. Ainsi le premier groupe de résistance de la zone nord, « le Musée de l'homme », fut créé par des savants ethnologues, et par des écrivains comme Cl. Aveline et L. Martin-Chauffier ; puis parurent les *Lettres françaises*, avec R. Desnos et J. Decourdemanche. Les intellectuels sont en pointe, même au Parti communiste, avec Politzer. Les « Editions de Minuit » représentent la plus belle éclosion de littérature clandestine de toute l'Europe occupée, avec Vercors et son *Silence de la mer*, J. Paulhan, F. Mauriac, J. Guéhenno, A. Chamson, Aragon, Elsa Triolet, etc. D'autres écriront dans la presse clandestine, comme J.-P. Sartre, A. Camus, Eluard, P. Emmanuel, J. Texcier ; Debu-Bridel siégera au Conseil national de la Résistance ; J. Cassou sera commissaire de la République, et grièvement blessé à Toulouse ; J. Prévost, Benjamin Crémieux, Chabanon, et bien d'autres seront fusillés ou tués au combat. Dans ce domaine, l'échec du régime de Vichy est flagrant (1).

Il fut tout aussi marqué, mais moins visiblement, dans l'*Université*. Certes, des groupes d'extrême-droite y avaient toujours milité, comme le cercle

(1) A. PARROT, *L'intelligence en guerre*, La Jeune Parque, 1945.

maurrassien « Fustel de Coulanges » ; mais beaucoup plus nombreux étaient les professeurs communistes, socialistes, juifs ou francs-maçons. Surtout, l'Université possédait de vieilles traditions d'indépendance à l'égard du pouvoir ; aussi bien, se sentit-elle brimée par certaines mesures comme la suppression de ses organismes consultatifs, la nomination des doyens de faculté, etc. Elle était l'objet de vives critiques pour son rationalisme, son laïcisme, et les mouvements de jeunesse avaient vocation à la démanteler. Toutefois, l'opposition ne fut pas immédiate ; l'Université, surtout le corps des instituteurs, avait été très marqué par le pacifisme de l'entre-deux-guerres ; certains de ses porte-parole, comme F. Challaye, Emerit, R. Chateau, et beaucoup d'élèves d'Alain, passèrent du pacifisme à la collaboration. A Vichy même, les universitaires ne manquèrent pas dans les conseils du gouvernement, avec J. Carcopino, E. Mireaux, A. Rivaud et les professeurs de droit Barthelemy, G. Ripert, J. Chevalier ; ils furent nombreux aussi dans les mouvements de jeunesse, bien que généralement d'anciens militaires leur aient été préférés.

Cependant, en quelque sorte par nature, façonnés par des décennies de liberté d'expression, les universitaires ne tardèrent pas à combattre le régime. En zone sud, ce sont des professeurs, F. de Menthon, P.-H. Teitgen, Marc Bloch, E. Vermeil, qui fondent le groupement « Libertés » ; en zone nord ce sont les étudiants parisiens qui organisent la première manifestation « gaulliste », le 11 novembre 1940. A. Philip, P. Brossolette gagneront Londres (1). Devant le refus des militaires de carrière d'adhérer à l'Armée secrète, parce qu'ils ont prêté serment à

(1) P. Brossolette, venu en mission en France, arrêté, torturé, se suicidera pour ne pas parler. Cf. G. BROSSOLETTE, *Il s'appelait Pierre Brossolette*, Albin Michel, 1976.

Pétain, ce sont des instituteurs, officiers de réserve, qui en forment les cadres ; une presse syndicaliste reparaît clandestinement ; le Front national regroupera toutes ces bonnes volontés ; outre des chercheurs, comme Joliot-Curie, il comptera des médecins (R. Debré, Lebovici, J. Bernard, P. Vallery-Radot, R. Monod), des juristes, des artistes, des acteurs (J.-L. Barrault, P. Blanchar).

Il faut dire un mot des *cadres industriels et commerciaux*, bien que leur comportement collectif soit plus divers. Avant la guerre, ils s'étaient plaints du nivellement des rémunérations salariales et du déclassement dont ils s'estimaient victimes ; on ne les avait pas beaucoup vus dans les rangs du Front populaire. Le régime de Vichy leur permet de s'affirmer syndicalement, en figurant avec les patrons et les ouvriers à la tête des corporations, et professionnellement par le rôle de nombre d'entre eux engagés dans des entreprises politico-administratives. Cependant, dans la Résistance clandestine, ils formeront aussi une des filiales du Front national.

V. — Vichy a-t-il protégé les Français ?

Que les dirigeants de Vichy aient cru protéger les Français en restant en France et en se comportant comme ils l'ont décidé ne fait pas de doutes. Dans son dernier message aux Français, le maréchal Pétain leur dit : « Pendant quatre ans, je n'ai eu qu'un but, vous protéger du pire... j'ai voulu être votre bouclier... j'ai écarté de vous des périls certains. » A son procès, P. Laval a proclamé également qu'il a « évité le pire » et « servi d'écran » entre l'occupant et les occupés. Il est certain que, pendant deux ans et demi, les habitants de la zone sud ont béni le maréchal de les avoir préservés de la présence allemande. Beaucoup de personnes, des Juifs surtout, ont pu prendre leurs dispositions pour se sauver, et même la Résistance a profité de l'absence des Allemands pour se fortifier plus qu'en zone nord. Il est vrai également que, à maintes reprises, des interventions portant sur des cas particuliers ont abouti à éviter des exécutions. Les dirigeants de Vichy ne pouvaient pas faire moins ; après tout, ils étaient là pour ça. Le problème est de savoir si leur présence, et la politique de collaboration, ont permis de diminuer les exigences allemandes et, par suite, les souffrances de la population. Il est certes impossible de refaire l'histoire et d'imaginer, autrement que par des hypothèses, ce qui se serait passé si Pétain était allé à Alger et si Laval avait pris sa retraite à la campagne. Mais il est possible de comparer ce qui est comparable, c'est-à-dire le sort des Français avec ceux des autres peuples d'Europe occidentale occupés — Danois, Belges, Hollandais. Toute comparaison avec la Pologne, les parties de l'URSS ou de la Yougoslavie conquises par la Wehrmacht n'est pas significative, car les nazis avaient décidé d'exterminer les Slaves, et non les peuples d'Europe occidentale.

D'abord, il faut rappeler que les Allemands n'ont nullement imposé leur comportement aux dirigeants de Vichy ; ceux-ci ont choisi librement leur voie, avant et après l'armistice. Une fois écartée la « solution P. Reynaud » de partir à Alger, équivalente de la solution royale hollandaise d'aller à Londres, il restait deux possibilités qui ont été effectivement saisies dans deux pays. Pétain aurait pu se considérer comme un prisonnier de guerre, comme le roi Léopold de Belgique — c'est ce qu'il fera, après tout, à Sigmaringen. Ou bien, comme le roi de Danemark, qui ne possédait pourtant pas les moyens laissés à la France, il aurait pu constituer un gouvernement d'union nationale, refuser le statut des Juifs, sauver le plus possible d'entre eux, et terminer la guerre dans le camp allié. Or il a choisi la Révolution nationale, qui a divisé les Français, et il a sanctionné des Français pour délit d'opinion ou de race ; les communistes, les Juifs, les résistants, avant d'être pourchassés par les Allemands, ce qui eût été normal, l'ont été par des dirigeants français, ce qui ne l'était pas.

Il faut penser aussi aux Français que Vichy aurait voulu, et qu'il n'a pas pu, sauver. Au premier rang les Alsaciens-Lorrains. Certes, grâce à la « protection » française, un petit nombre, qui ne voulaient pas retourner en Alsace, ont pu rester en zone sud — les écoles normales, des Strasbourgeois. Mais l'Université de Strasbourg, repliée à Clermont-Ferrand, a été déportée, professeurs et étudiants. Surtout Vichy n'a pas pu empêcher la germanisation de l'Alsace, pas plus que l'expropriation et la colonisation de l'Ostland, dans le Nord-Est. Il ne pourra pas non plus éviter les expulsions de population dans les zones déclarées interdites par les occupants. Enfin, quand la Résistance a commencé à attaquer les Allemands, non seulement ceux-ci se sont livrés à toutes les exactions imaginables — fusillades, tortures, déportations, destruction de bourgades comme Oradour — mais encore la Milice de Darnand est devenue leur complice, au nom du maréchal. Cela fait beaucoup de Français que Vichy n'a pas pu préserver, ou qu'il a lui-même sanctionnés.

Du moins, les Français ont-ils été mieux nourris que d'autres occupés ? Gœring, nonobstant la présence de Pétain et la « collaboration », avait déclaré qu'il ne se souciait pas des souffrances des Français que, de toute façon, il estimait trop bien nourris. La France a livré, en chiffres absolus, et relativement à sa population et à ses richesses, plus de produits alimentaires que n'importe quel autre pays occupé. Quant aux rations alimentaires, elles ont été constamment plus fortes en Belgique et en Hollande qu'en France. Par exemple, en octobre 1940, les rations de viande et de matières grasses ont été de 360 g et 100 g en France, de 500 g et 196 g en Belgique, de 525 g et 250 g en Hollande (1). Le « francophile » Abetz avait précisé que les salaires devraient être plus bas en France qu'en Allemagne, pour inciter les ouvriers à se porter volontaires pour le STO.

En matière de finances, le taux de l'inflation a été plus élevé en France que partout ailleurs, et Vichy, nous l'avons vu, était obligé par l'armistice de céder au Reich 58 % du budget annuel de la France — le pourcentage le plus haut en Europe. Pour le STO Sauckel ne fit aucune différence entre la France et les autres pays vaincus ; l'application des mesures se fit à peu près en France au même moment qu'en Belgique et en Hollande. Quant aux concentrationnaires non juifs, leur nombre, en proportion de leur population, a été sensiblement le même dans les trois pays ; il fut également sensiblement le même, en France, dans la zone occupée que dans la zone dite « libre » (2).

Dernière question, mais la pire, le sort des Juifs. Il est exact que le pourcentage de la population juive exterminée a été plus élevé en Hollande (86 %) et en Belgique (55 %) qu'en France (26 %) ; mais il a été plus bas au Danemark (15,4 %) (3). En Hollande, les Juifs étaient groupés dans le ghetto d'Amsterdam ; en France l'occupant, en entrant en zone sud, n'eut qu'à cueillir les dizaines de milliers de Juifs déjà parqués dans des camps d'internement, ghettos provisoires ; si ces malheureux avaient été libérés, ils auraient pu aisément se dissimuler dans toute la zone sud, surtout si les

(1) Karl BRANDT, *Management of agriculture and food in the German occupied...*, Stanford, 1953.
(2) Cf. enquêtes du Comité d'histoire de la deuxième guerre mondiale, publiées dans son *Bulletin intérieur*.
(3) Cf. PAXTON, *op. cit.*, p. 344-345.

pouvoirs publics, au lieu de les pourchasser, leur étaient venus en aide.

Il faut conclure : l'Allemagne n'a pas moins exigé de la France que des autres pays occupés, et le régime de Vichy n'a obtenu que des concessions mineures ; elles payèrent, mal, sa contribution aux pires actions de l'occupant. Ailleurs, celui-ci agissait seul, avec les collaborateurs et l'opinion le savait. En France, ce sont souvent des Français qui ont fait du mal à d'autres Français. A aucun moment le régime de Vichy n'a jeté dans la balance les forces que seul il possédait en Europe, et dont il ne s'est jamais servi. Il a reculé devant la rupture probable que ce geste aurait provoquée ; une chance existait peut-être d'impressionner les Allemands, et de soulager le sort des Français ; elle n'a pas été saisie.

VI. — Les séquelles de Vichy

A la Libération, la Résistance aurait voulu annuler la période de Vichy, faire comme si elle n'avait pas existé ; c'est l'idée qu'exprime le procureur général Mornet dans le titre de son livre *Quatre ans à rayer de notre histoire* ; elle était implicite dans le refus du général de Gaulle de proclamer la République à l'Hôtel de Ville de Paris en août 1944, puisque, disait-il, elle n'avait jamais cessé d'exister. A l'inverse, certains historiens mettent l'accent sur la continuité entre Vichy et l'histoire antérieure de la France, et nous avons relevé, en cours de route, quelques exemples de cette continuité ; c'est en somme la transcription de l'adage *Nil novi sub sole*. Y. Durand ajoute que « Vichy a été révélateur de quelques tendances profondes de la société française contemporaine » (1) ; loin d'être « une paren-

(1) *Vichy, 1940-1944*, Bordas, p. 4.

thèse dans l'histoire de la France », le régime de Vichy l'aurait donc assez marquée pour préparer son avenir; il y aurait toujours un « après-Vichy », malgré la défaite et la disparition de Vichy.

Effectivement, est frappante la brièveté du triomphe de la Résistance, si total qu'il ait paru être. En peu d'années son unité se brise, ses partis politiques manifestent une faiblesse chronique, sa presse disparaît ; l'amertume remplace la satisfaction et les anciens clandestins se plaignent : leur Résistance a été « trahie », comme la « révolution » qu'elle portait en elle. C'est que la mission qui incombait à la Résistance était trop exceptionnelle pour que ne s'effritât pas, à son achèvement, la large union qui s'était progressivement constituée pour l'accomplir ; les résistants étaient trop peu nombreux, et trop disparates pour se perpétuer une fois leur tâche accomplie ; c'est la Résistance qui était une parenthèse dans l'histoire de France, encore que, sur le plan moral, et aussi sur les plans militaire et économique, elle était porteuse des plus grandes leçons pour l'avenir. En contrepartie, apparemment, les vichystes remontrèrent vite le bout de leur nez ; dès 1947, pour la fête de Jeanne d'Arc, défilait un groupe qui réclamait la « réconciliation nationale » ; les « inciviques » se retrouvaient dans une association de défense ; toute une presse, à demi clandestine, puis ouverte, attaquait la Résistance, réhabilitait Vichy ; les plaidoyers des avocats de Pétain se vendaient comme des petits pains ; le vichysme se maintenait dans quelques hauts bastions comme l'Académie française ; toute évocation du sort tragique du maréchal Pétain remuait la sensibilité des foules et si plus de 100 000 personnes avaient été internées en 1944, dix ans après, tous les ministres de Vichy se promenaient librement, publiaient leurs souvenirs, revenaient parfois, assez rarement toutefois, sur le devant de la scène politique. La Haute Cour de Justice a condamné à mort huit personnes ; trois ont été exécutées. Les cours de justice ont examiné 124 000 dossiers ; 77 % des condamnations à mort ont été commuées en années de prison.

Est-ce à dire que la France était restée vichyste ? On peut, en effet relever, la situation économique ne s'étant pas améliorée par un coup de baguette magique dès le départ de l'occupant, les institutions et les décisions de Vichy demeurées justement en vigueur, parfois en changeant simplement de nom : rationnement des denrées, contrôle des prix, aide aux vieux travailleurs, préfets régionaux devenus commissaires de la République, Secours national transformé en Entraide, offices professionnels au lieu de comités d'organisation, Confédération générale de l'Agriculture pour la Corporation paysanne, etc. C'étaient des décisions exigées par les circonstances : la guerre continuait. Il est vrai également que, malgré une épuration sévère, qualifiée de révolution criminelle par ceux qui en avaient pâti, le corps des administrateurs de l'Etat n'avait pas été bouleversé ; la Résistance avait d'autant moins voulu instituer l'anarchie que le redressement de la France dépendait de sa tenue dans le conflit finissant (1). R. Paxton a compté que 98 % des membres de la Cour des comptes, en fonction en 1942, l'étaient encore en 1946, ainsi que 97 % des inspecteurs généraux des Finances, 70 à 80 % des conseillers d'Etat, la plupart des magistrats, la moitié des diplomates. Il est probable, bien que les comptes soient plus difficiles en la matière, qu'on constaterait la même permanence dans le corps des directeurs et ingénieurs des entreprises privées. Est-ce à dire que la Libération a consisté à garder l'édifice vichyssois en le badigeonnant en rouge ?

En fait, la stabilité ne concerne que les organes d'exécution ; les changements affectent l'essentiel, à savoir la politique et l'économie. Tous les préfets, régionaux et départementaux — ces serviteurs du pouvoir — ont été changés. Surtout, en 1949, sur les 849 membres de l'Assemblée nationale, 88 seulement — dont un tiers de communistes — siégeaient à la Chambre ou au Sénat en 1938 ; non seulement les hommes ne sont plus les mêmes, mais ils sont

(1) La loi du 4 septembre 1944 avait stipulé que seuls seraient poursuivis les fonctionnaires ayant outrepassé leurs fonctions pour aider l'occupant.

plus jeunes (la gérontocratie prend fin) ; leur répartition politique a changé ; avec la résurgence des partis communiste et socialiste, la création d'un grand parti catholique issu de la Résistance, le MRP, et l'effacement des radicaux et de la droite, « l'esprit de Vichy » a déserté les Assemblées législatives. Bien plus, ces assemblées, contrairement aux vœux de la Résistance, vont retourner, comme par un penchant naturel, aux méthodes si décriées de la IIIe République, avec la faiblesse de l'exécutif, les rivalités de partis, l'instabilité ministérielle. Dans ce domaine, Vichy a été vraiment une parenthèse. De même, les syndicats reviendront en force, plus puissants même qu'avant la guerre, et il ne subsistera rien du corporatisme de Vichy.

Sur le plan économique, nous avons noté, au temps de Vichy, la montée des techniciens et la tendance du régime, sous l'emprise des circonstances, parfois en contradiction avec l'idéologie réactionnaire dominante, à rationaliser l'économie et à la diriger. C'était une tendance conjoncturelle, pas une politique, et il serait erroné de situer à Vichy l'acte de naissance de la technocratie. Sous la IIIe République déjà, conseillers d'Etat ou de la Cour des comptes, inspecteurs des Finances, gradués de « Sciences Po » peuplaient les avenues du pouvoir, c'est-à-dire les cabinets ministériels ; cet investissement conduira Dautry, ministre des Armements en 1939, et le contrôleur général Jacomet sur le banc des accusés à Riom ; le planisme était dans l'air, et même dans la réalité avec le plan de la CGT, en 1936. Les grandes mesures de la Libération, qui feront prendre un nouveau départ à l'économie française, n'ont pas été décidées par Vichy, même si la France avait conservé des structures permettant de les appliquer rapidement : l'idée même d'une nationalisation aurait pétrifié tous les habitants de

121

l'hôtel du Parc, où personne n'a jamais pensé, bien au contraire, que l'exode rural était une des conditions de l'industrialisation. Ces réformes ont été préparées à Londres, à Alger, par le Conseil national de la Résistance en France, et par tout un ensemble de commissions d'études de la clandestinité (1) ; elles ont été appliquées par le gouvernement provisoire ; elles ne doivent rien à Vichy, qui se situe dans leur préhistoire. Le visage moderne de la France a été dessiné, en partie *pendant*, mais *contre*, le régime de Vichy.

(1) Cf. nos *Courants de pensée de la Résistance* op. cit., *passim*.

CONCLUSION

Il est incontestable que les dirigeants de Vichy se sont trouvés confrontés avec des difficultés immenses, peut-être insurmontables, et un adversaire impitoyable. Le Vichy de 1944, qui a suscité tant de colère et de haine, si bien qu'à la Libération la Résistance ne l'a pas séparé tant de l'occupant que des collaborateurs de la zone nord, ce Vichy décadent, à bout de souffle, n'était pas celui de juillet 1940, lorsqu'il semblait à beaucoup de Français, peut-être à tous, que d'extrêmes écueils avaient été évités et que, grâce à la sagesse du Vieux Nautonier, la barque France n'irait pas de Charybde en Scylla. En fait, l'évolution de la guerre allait montrer que le pari fait par Pétain avait de fortes chances d'être perdu, et celui du général de Gaulle d'être gagné. Les erreurs de prévision, qui avaient conduit à la demande des conditions de paix, et à la célébration de l'acceptation de l'armistice comme d'un succès, se découvraient peu à peu dans toute leur gravité : la guerre n'était pas finie, puisque l'Angleterre tenait bon ; l'Allemagne ne l'avait pas gagnée, constatation qui devenait certitude après que l'URSS et les Etats-Unis furent entrées en lice et que la Wehrmacht soit allée d'insuccès en échecs ; enfin, rien ne servait de faire risette à Hitler pour l'amadouer, chacun de ses actes prouvait au contraire qu'il était bien le Gengis Khan des Temps Modernes, et que son intention délibérée était de faire payer le plus cher possible sa défaite à la France.

Alors, puisque la voie choisie s'avérait ainsi sans issue, pourquoi ne pas en avoir changé en temps opportun — ce que sauront faire le roi d'Italie et le maréchal Badoglio, autrement solidement attachés pourtant à l'Allemagne, et en guerre avec les puissances vers lesquelles ils se retournaient, alors que la France était demeurée leur alliée ? Pourquoi avoir refusé avec autant de fermeté les avances des Anglais, puis des Américains, et avoir attendu l'été de 1944 pour rechercher un accord avec de Gaulle et la Résistance ? Les dirigeants de Vichy n'ont voulu saisir aucune des occasions qui s'offraient à eux : partir avec la flotte à Alger, en novembre 1942, aider les Alliés dans leurs débarquements du 6 juin et du 15 août de 1944. A quoi un tel comportement aurait-il conduit la France, s'il n'y avait pas eu la « France combattante » et le général de Gaulle, sinon à son exclusion du camp des vainqueurs et, une seconde fois, à une occupation et à un traitement de vaincu ? Tant de persévérance dans l'obstination et dans l'erreur confond.

La première explication qui vient à l'esprit est le grand âge du maréchal, l'affaiblissement de ses qualités de caractère et d'intelligence. Probablement a-t-il cru également, tant était fort l'encens de louange unanime qui flattait ses narines, que, par sa présence en France, il protégeait les Français, alors que, précisément, cette attitude allait exactement dans le sens des désirs de Hitler. Mais on peut avancer une autre explication, plus vraisemblable et plus forte ; tous les hiérarques de Vichy avaient eu à se plaindre de la IIIᵉ République, qu'elle ne les ait pas mis à la première place (Pétain), ou qu'elle les en ait fait choir (Laval) ; qu'ils aient été des recalés du suffrage universel (Alibert) ou qu'ils aient longtemps rongé leur frein en voyant leur technicité exploitée par des politiciens incompétents (Bouthillier) ; qu'ils aient été, enfin, des adversaires idéologiques de la démocratie par principe, comme les maurrassiens, ou qu'ils aient laissé quelques plumes dans la grande épreuve du Front populaire. Cela ne signifie pas qu'ils se soient réjouis de la défaite ; mais elle « étranglait la gueuse », mieux qu'ils ne l'auraient fait de leurs mains. Alors, pourquoi ne pas en profiter pour imposer à la France une thérapeutique dont elle n'avait pas voulu jusque-là, et dont beaucoup croyaient d'ailleurs qu'elle lui serait salutaire ? C'est de « transformations » que Pétain parle dans son premier message ; dans cette acception, la collaboration peut n'être qu'une tactique, la Révolution nationale est une politique, *la* politique. Peu à peu, collaboration et Révolution nationale vont se lier indissolublement, l'une étayant l'autre au point que, en acceptant l'entrée des fascistes dans son gouvernement, en faisant passer la lutte commune contre les mêmes ennemis avant les différends qui le séparent d'eux, le maréchal Pétain se comporte, en définitive, comme les conservateurs italiens et allemands qui ont fait la courte échelle à Mussolini et à Hitler, un peu plus contraint seulement. Cesser de collaborer serait en même temps mettre fin à la Révolution nationale, reconnaître que le maréchal s'est trompé et que de Gaulle avait raison, se lier à nouveau à la « perfide Albion », accepter de retourner, comme à un vomissement, à une démocratie détestée, passer la main à d'autres plus clairvoyants enfin. Il n'est pire poison, pour l'homme d'Etat, que l'esprit partisan.

La Résistance a su, elle, non sans mal il est vrai, dominer ses divisions et s'unir pour atteindre ses objectifs ; c'est que sa première réaction de refus avait été patriotique, pas partisane. Au fond, si

125

les chiffres permettent d'affirmer que le régime de Vichy n'a pas assuré aux Français un sort meilleur qu'aux Belges, aux Hollandais ou aux Danois, les différences de traitement entre ces divers peuples ne sont pas très grandes ; simplement il n'y a pas lieu de pavoiser à Vichy et encore moins de faire du maréchal, et de son régime, des sauveurs providentiels. La véritable question qui sépare Vichy de la Résistance est moins d'ordre matériel, ou conjoncturel, que moral et, en quelque sorte, de principe. Lorsqu'un pays a été battu, qu'il risque de perdre son indépendance, et peut-être son âme, faut-il se résigner à sa déchéance, et ruser avec le vainqueur, s'associer même à lui pour capter ses bonnes grâces, ou au contraire faut-il se battre, au risque certes de très grandes pertes et d'immenses souffrances, pour la liberté des personnes comme de la nation ? L'histoire répond que les peuples qui survivent sont ceux qui se battent. Sans la gloire dévoyée du maréchal Pétain, sans le régime qu'il a institué à Vichy, la France, comme la Pologne, aurait été tout entière résistante.

BIBLIOGRAPHIE

Nous nous bornons à indiquer quelques études sérieuses, à l'exclusion des livres de souvenirs et des ouvrages hagiographiques ou polémiques.

1. *Etudes générales :* Robert ARON, *Histoire de Vichy* (Fayard, 1954) ; Robert O. PAXTON, *La France de Vichy* (Le Seuil, 1973) ; Y. DURAND, *Vichy, 1940-1944* (Bordas, 1972).

2. *Etudes particulières :* Sur le comportement allemand, E. JÄCKEL, *La France dans l'Europe d'Hitler* (A. Fayard, 1968), et UMBREIT, *Der militarbefelshaber in Frankreich* (Boppard am Rheim, 1968).

Sur les problèmes économiques et financiers : P. ARNOULT, *Les finances de la France sous l'occupation* (PUF, 1951) ; M. CÉPÈDE, *Agriculture et alimentation en France durant la deuxième guerre mondiale* (Génin, 1961) ; H. W. EHRMANN, *La politique du patronat français* (A. Colin, 1959) ; P. DURAND, *La SNCF pendant la guerre* (PUF, 1968) ; A. MILWARD, *The new order and the french economy* (Londres, 1970).

Sur divers moments de la période : H. MICHEL, *Vichy, année 40* (R. Laffont, 1967) ; A. HYTIER, *Two years of French policy Vichy, 1940-1942* (Genève, 1958) ; Y. DANAN, *La vie politique à Alger de 1940 à 1942* (Librairie générale de droit et de jurisprudence, 1963) ; H. MICHEL, *Pétain, Laval, Darlan, trois politiques ?* (Flammarion, 1972).

Sur divers aspects du régime : H. AMOUROUX, *La vie des Français sous l'occupation* (Fayard, 1961) ; DELPERIE DE BAYAC, *Histoire de la Milice* (Fayard, 1961) ; G. LEFRANC, *Les expériences syndicales en France de 1939 à 1950* (Aubier, 1950) ; J. BILLIG, *Le commissariat aux questions juives* (Ed. du Centre, 3 tomes, 1957-1960), sans oublier bien sûr les documents allemands et américains, ainsi que les comptes rendus de la Délégation auprès de la Commission allemande d'armistice, largement cités dans les chapitres correspondants ; J. BILLIG, *Le gouvernement de Vichy et la Révolution nationale, 1940-avril 1942* ; A. KASPI, *Les Juifs pendant l'occupation*, Ed. du Seuil, 1991 ; Général SCHMIDT, *Les accords secrets franco-britanniques*, PUF, 1957 ; H. R. KEDWARD, *Naissance de la Résistance dans la France de Vichy, 1940-1942*, Ed. Champ Vallon, 1992.

La *Revue d'histoire de la deuxième guerre mondiale* a consacré de nombreux numéros spéciaux et articles au sujet, trop nombreux pour être cités ici. Elle est devenue en janvier 1982 la *Revue d'histoire de la deuxième guerre mondiale et des conflits contemporains*, et a pris le titre de *Guerres mondiales et conflits contemporains*, en élargissant son domaine de 1914 à nos jours, en janvier 1987 (1).

(1) Pour une bibliographie complète on se reportera à la collection de la *Revue d'histoire de la deuxième guerre mondiale* et des revues qui lui ont succédé.

TABLE DES MATIÈRES

Introduction 3

Chapitre Premier. — La naissance du régime 5

I. L'armistice, 5. — II. Le vote des pleins pouvoirs par
l'Assemblée nationale, 8. — III. Les nouveaux dirigeants :
leurs idées, 11. — IV. Mussolini, Hitler et la France, 14. —
V. La latitude d'action du régime de Vichy, 17. — VI. Les
deux dissidences : les « collaborateurs » de la zone occupée ;
la « France libre », 20. — VII. La vie à Vichy, 22. — VIII. La
France après l'armistice, 24.

Chapitre II. — La Révolution nationale 27

I. Une dictature non totalitaire, 28. — II. La Légion des
Combattants, 32. — III. L'ordre moral, 34. — IV. L'économie : le retour à la terre et le corporatisme, 38. — V. La
propagande : le mythe Pétain, 42. — VI. Un régime policier :
Les parias, 43. — VII. Le régime de Vichy : réaction ou
fascisme ?, 50.

Chapitre III. — La politique de collaboration 53

I. Les prévisions des dirigeants de Vichy, 54. — II. La
rupture avec les Anglais, 55. — III. La collaboration administrative, 58. — IV. La collaboration économique, 60. —
V. La collaboration politique, 62. — VI. Vers une collaboration militaire ?, 65. — VII. Hitler et la collaboration, 67.
— VIII. L'échec de la politique de collaboration, 70.

Chapitre IV. — L'évolution du régime de Vichy 75

I. Illusions et désillusion (juillet-décembre 1940), 76. —
II. Le temps de l'adaptation. Le règne de Darlan (janvier 1940 - avril 1942), 81. — III. Le retour de Laval (avril-
novembre 1942), 86. — IV. Le temps de la soumission
(1943-juin 1944), 90. — V. La fin : le temps des comptes, 95.

Chapitre V. — Vichy et les Français 99

I. Les forces politiques au pouvoir, 99. — II. Bourgeoisie
et capital, 103. — III. Ouvriers et paysans, 106. — IV. Les
intellectuels, 110. — V. Vichy a-t-il protégé les Français ?, 114.
— VI. Les séquelles de Vichy, 118.

Conclusion 123

Bibliographie 127

Imprimé en France
Imprimerie des Presses Universitaires de France
73, avenue Ronsard, 41100 Vendôme
Novembre 1993 — N° 39 677